Zénith
Méthode de français

Cahier d'activités

FABRICE BARTHÉLÉMY - SOPHIE SOUSA - CAROLINE SPERANDIO

3

CLE
INTERNATIONAL

Direction éditoriale : Béatrice Rego

Marketing : Thierry Lucas

Édition : Catherine Jardin

Couverture : Miz'enpage / Lucia Jaime

Mise en pages : Domino

Illustrations : Oscar Fernández

sommaire

UNITÉ 1

LEÇON 1 6
LEÇON 2 9
LEÇON 3 12
LEÇON 4 15
CIVILISATION 18

UNITÉ 2

LEÇON 5 20
LEÇON 6 23
LEÇON 7 26
LEÇON 8 29
CIVILISATION 32

UNITÉ 3

LEÇON 9 34
LEÇON 10 37
LEÇON 11 40
LEÇON 12 43
CIVILISATION 46

UNITÉ 4

LEÇON 13 48
LEÇON 14 51
LEÇON 15 54
LEÇON 16 57
CIVILISATION 60

UNITÉ 5

LEÇON 17 62
LEÇON 18 65
LEÇON 19 68
LEÇON 20 71
CIVILISATION 74

UNITÉ 6

LEÇON 21 76
LEÇON 22 79
LEÇON 23 82
LEÇON 24 85
CIVILISATION 88

ÉVALUATION FINALE 89
EXPLOITATION DES VIDÉOS 98
LEXIQUE MULTILINGUE 104

Un petit tour en ville

Vocabulaire

• Des noms

une activité culturelle
une agglomération
une amende
une aubaine
un auditeur / une auditrice
un(e) automobiliste
la banlieue
une barre d'immeubles
un bâtiment
la beauté
un bien
un boulevard
une bousculade
une boutique
un building
une campagne (de publicité)
la capitale de la mode
un cliché
une comédie musicale
un commerce
une conversation
la culture
un défi
un déplacement
la diversité
l'écologie
un éditeur
un espace vert
un fleuve
la foule
un graffiti
un graphiste
un gratte-ciel
une interdiction de stationner
un joggeur / une joggeuse
un lampadaire
la littérature
le luxe
la mobilité
un moyen de transport
un mur
un parking
un paysage
les « pendulaires »

la périphérie
la poésie
la pollution
la proximité
un rideau de fer
une rive
une rivière
le romantisme
une ruelle
la sécurité
un slogan
une solution
un square
un stationnement
un tag
un taxi
un trottoir
une vitrine

• Des adjectifs

assuré(e)
automatique
bondé(e)
conseillé(e)
éclairé(e)
fascinant(e)
horizontal(e)
illustré(e)
large
piéton / piétonne
surprenant(e)
urbain(e)
vertical(e)

• Des verbes

admirer
apparaître
avoir accès à...
comparer
se déplacer
déposer
se détendre
(se) développer
dominer
donner sur...

s'élever
s'entraider
être attiré par...
éviter
s'exprimer
se garer
garer sa voiture
inspirer
s'installer
permettre
profiter
quitter
se trouver
véhiculer (des clichés)
vendre ses qualités
voir le jour

• Des mots invariables

à l'extérieur de...
à taille humaine
à travers
à vive allure
d'entre (eux / elles)
en épi
en hauteur

• Manières de dire

c'est (devenu) mission
   impossible
c'est simplement impossible !
se disputer un match amical
faire attention les uns aux autres
il s'agit de...
ils sont définitivement urbains
il vaut mieux en rire !
la « Grosse Pomme »
un lieu d'expression
la majorité de (+ nom)
jouer sur les mots
plein(e) d'humour
prendre l'air
la Ville lumière
vivre en harmonie

OBJECTIFS

- Parler d'une ville
- Décrire une ville
- Parler des problèmes d'une ville et envisager des solutions
- Expliquer des raisons (1)
- Décrire un lieu idéal, un lieu imaginaire, un projet hypothétique
- Critiquer une ville
- Parler de l'image d'une ville à l'étranger
- Rapporter les paroles de quelqu'un (1)
- Comparer deux villes

La ville, source d'inspiration

Compréhension orale

1 Écoutez et répondez par vrai ou faux.

a. Tout le monde pense que les graffitis et les tags, c'est de l'art.
❑ Vrai ❑ Faux

b. On parle des graffitis et des tags en Belgique.
❑ Vrai ❑ Faux

c. Les premiers graffitis datent de 1978.
❑ Vrai ❑ Faux

d. Les gens préfèrent les tags aux graffitis.
❑ Vrai ❑ Faux

2 Écoutez encore une fois et répondez aux questions.

a. Où est-ce que Defo fait des graffitis aujourd'hui ?

....

b. Pour lui, que représente ce lieu où il fait des graffitis ?

....

c. Pourquoi les deux personnes interrogées n'aiment pas les tags dans la ville ?

....

d. Est-ce que dans la ville d'Anderlecht, il est interdit de faire des graffitis et des tags ? Pourquoi ?

....

e. Dans quels lieux culturels peut-on voir les tags et les graffitis aujourd'hui ?

....

Vocabulaire

3 Complétez le texte avec les mots suivants :

trottoirs - commerces - pont - fleuve - rives - surprenante - s'élèvent - passer d'un côté à l'autre - passer au milieu des.

Nous avons visité la ville de Niamey, capitale du Niger. Une ville .... où on ne voit

que de rares immeubles qui .... vers le ciel. Il y a surtout de petites maisons.

Quand on se promène dans les rues, on peut voir de belles peintures sur les murs des ....

Ce sont surtout les coiffeurs qui ont peint leurs murs. Il est parfois difficile de marcher sur les ....,

de nombreux vendeurs s'y trouvent. Il faut donc .... marchands.

Le ...., le Niger, est le plus grand de l'Afrique de l'Ouest. Il traverse le Bénin,

le Mali, le Niger, le Nigeria et la Guinée. On peut s'y promener dans des pirogues. Ses ....,

où il y a beaucoup de petits villages, sont très jolies. À Niamey, on peut .... du fleuve,

il y a un .... Ce n'est possible que dans 7 villes que traverse le Niger.

Une pirogue

4 De quoi on parle ? Associez chaque commentaire à un sujet, comme dans l'exemple.

On parle d'un graffiti	On parle d'un bâtiment	On parle des vitrines	On parle d'un square	On parle de la banlieue	On parle d'un café	On parle des ruelles
			A			

5 Écoutez et complétez les phrases.

a. J'adore vivre en ville, mais j'ai aussi besoin d'aller à la campagne pour ....

b. Je ne passe pas par les ruelles le soir, elles sont mal ....

c. C'est un petit appartement qui .... une place charmante.

d. On .... souvent mes amis et moi après le travail. On va dans un café, on discute, on ....

de ce moment pour ....

e. J'.. toujours les belles photographies des villes.

f. Il y a souvent des embouteillages sur les ...., en fin de journée.

Grammaire

6 Faites une seule phrase en utilisant un pronom relatif (*qui – que – où – dont*), comme dans l'exemple.

Exemple : C'est une ville magnifique. Il y a le plus grand boulevard d'Europe dans cette ville.

→ *C'est une ville magnifique où il y a le plus grand boulevard d'Europe.*

a. C'est une petite ville. Les ruelles de cette ville sont très jolies.
C'est une petite ville dont les ruelles sont très jolies.

b. C'est une ville très célèbre. Un grand poète a vécu dans cette ville.
C'est une ville très célèbre où un grand poète a vécu.

c. C'est une ville charmante. Elle se trouve dans le sud de la France.
C'est une ville charmante ~~qui~~ qui se trouve dans le sud de la France.

d. C'est une ville au bord de la mer. J'aime passer mes vacances dans cette ville.
C'est une ville au bord de la mer où j'aime passer mes vacances.

e. C'est une ville de banlieue. Les bâtiments de cette ville sont très hauts.
C'est une ville de banlieue dont les bâtiments sont très hauts.

f. C'est un fleuve immense. Ce fleuve sépare la ville en deux.
C'est un fleuve immense qui sépare la ville en deux.

g. C'est un graffiti surprenant. J'ai découvert ce graffiti en me promenant dans la ville.
C'est un graffiti surprenant que j'ai découvert en me promenant dans la ville

h. C'est un café de la place. Je trouve ce café très sympa.
C'est un café de la place que je trouve très sympa.

7 Complétez avec les relatifs : *qui – que – où – dont*.

a. C'est une ville ...*où*... il y a de nombreux graffitis.

b. C'est une ville ...~~où~~ *dont*... la beauté est surprenante.

c. C'est une ville ...~~que~~ *que*... beaucoup de touristes visitent.

d. C'est une ville ...*qui*... inspire beaucoup d'artistes.

e. C'est une ville ...~~que~~ *dont*... on parle dans le monde entier.

f. C'est une ville ...*où*... les habitants sont très nombreux.

g. C'est une ville ...*qui*... a de nombreux musées.

h. C'est une ville ...*que*... je connais bien.

8 Associez, comme dans l'exemple.

Le café •

La banlieue •

Le square •

Les rideaux de fer •

Les vitrines •

Le pont •

Le graffiti •

La ville •

• où s'élèvent les barres d'immeubles •

• qui protègent les vitrines •

• dont je garde un excellent souvenir •

• dont les habitants du centre-ville profitent en fin d'après-midi •

• que j'admire tous les matins en allant travailler •

• où se retrouvent les étudiants après leurs cours •

• qui traverse le fleuve •

• que les gens regardent toujours en passant devant •

• est Montréal.

• donne sur une petite place très calme.

• sont éclairées la nuit.

• permet de passer d'un côté à l'autre de la rive.

• se trouve à l'extérieur de la ville.

• se trouve sur le mur d'un vieux bâtiment.

• a un jardin avec beaucoup d'arbres.

• ont souvent des tags ou des graffitis.

Phonétique

9 Dans quel ordre entendez-vous les sons [R] et [l] ? Complétez le tableau comme dans l'exemple.

	[R]	[l]
Exemple : éclairé	2	1
a		
b		
c		
d		
e		
f		

Production écrite

10 Racontez un souvenir dans une ville : une rencontre, un moment amusant, un moment heureux, etc.

Dans quelle ville étiez-vous ? Avec qui ? Pour combien de temps ?
Qu'étiez-vous venu(e) faire dans cette ville ? Que s'est-il passé ?

La ville, que du bonheur ?

Compréhension orale

1 Écoutez et répondez aux questions.

a. Combien d'automobilistes ne paient pas leur stationnement ?

....

b. Comment peut-on payer son stationnement aujourd'hui ?

....

c. Quels sont les trois avantages de cette nouvelle manière de payer son stationnement ?

....

d. Si le temps de stationnement est terminé, que se passe-t-il ?

....

e. Quand l'automobiliste signale qu'il a payé plus longtemps que nécessaire, que se passe-t-il ?

....

Vocabulaire

2 Associez les mots à leur définition, comme dans l'exemple.

La mobilité • • Les personnes qui conduisent une voiture.

Une amende • • Ce n'est pas permis de garer sa voiture.

Les automobilistes • • Possibilité plus ou moins grande d'aller d'un point à un autre dans une ville.

Une interdiction de stationner • • Les personnes qui habitent en banlieue et qui travaillent dans le centre-ville.

Les pendulaires • • Si on ne paye pas son stationnement et si la police de la ville le voit, vous devrez en payer une.

3 Complétez les phrases suivantes avec les verbes :

garer – se garer – trouver – chercher – éviter – permettre.

a. Il est très difficile de .... en ville.

b. Pour .... une place rapidement, j'utilise une application smartphone.

c. Pour .... aux automobilistes de gagner du temps, on a créé une application smartphone.

d. On perd beaucoup trop de temps à .... une place !

e. Pour .... les amendes, regardez bien les interdictions de stationner.

f. .... sa voiture dans le centre-ville, c'est devenu mission impossible !

4 Écoutez et complétez les phrases.

a. La ...., c'est de construire des .... à étages.

b. Les pendulaires voudraient avoir une place .... devant leur lieu de travail.

c. Il y a des problèmes de .... dans la .... des grandes villes.

d. Il est .... de payer son stationnement, sinon, on peut avoir une amende. Et ça coûte cher !

e. Les villes ...., avec des immeubles de plus en plus hauts, sont les villes de demain.

Phonétique

5 Écoutez. Entendez-vous le son [i] ou le son [y] ? ◉

	[i]	[y]
Exemple	X	
a.		
b.		
c.		
d.		
e.		
f.		

6 Combien de fois entendez-vous le son [i] ? ◉

Exemple	*1*
a.	
b.	
c.	
d.	
e.	
f.	

Grammaire

7 Transformez les phrases, comme dans l'exemple.

Exemple : C'est difficile de se garer en ville, donc les gens évitent de prendre leur voiture.

→ *Comme c'est difficile de se garer en ville, les gens évitent de prendre leur voiture.*

donc = thus; therefore; so

a. Il n'y a pas assez de places pour se garer en ville, il faut donc construire plus de parkings à étages.

Comme il n'y a pas assez de places pour se garer en ville, il faut construire plus de parking à étages.

b. Les gens choisissent de vivre en périphérie, donc ils doivent aller en voiture au travail et perdent du temps à trouver une place.

Comme les gens choissent de vivre en périphérie, ils doivent aller en voiture au travail et perdent du temps à trouver une place.

c. Se garer est devenu mission impossible, donc il faut trouver des solutions.

Comme se garer est devenu mission impossible, il faut trouver des solutions.

d. Il s'est mal garé, donc il a eu une amende.

Comme il s'est mal garé, il a eu une amende.

e. Il y a de grands parkings dans le centre des villes, donc ça évite de perdre du temps à chercher une place.

Comme il y a de grands parkings dans le centre des villes, ça évite de perdre du temps à chercher une place.

f. Il y a beaucoup de garages ou de commerces en bas des immeubles, donc il y a beaucoup d'interdictions de stationner en ville.

Comme il y a beaucoup de garages ou de commerces en bas des immeubles, il y a beaucoup d'interdictions de stationner en ville.

8 Complétez avec *comme* ou *grâce à / au / aux*.

grâce à ... (saison... etc.)
grâce au → à + le
grâce à la
grâce aux → à + les

a. *Grâce à* sa petite voiture, il peut se garer partout.

b. *Comme* il a une petite voiture, c'est facile pour lui de trouver une place.

c. *Grâce au* nouveau parking à étages, il y a plus de places en ville.

d. *Grâce à* son application smartphone, il ne paie plus d'amende.

e. *Comme* il ne voulait plus payer d'amende, il a vendu sa voiture.

f. *Grâce aux* lettres des automobilistes, la ville va construire un grand parking.

9 **Associez, comme dans l'exemple.**

Nous avons loué un garage •　　　　　　　　　　• le stationnement en ville est un vrai problème.

Ils trouvent toujours de la place •　　　　　　　• nous savons tous qu'il n'y a pas assez de places dans les rues.

Prenons le métro •　　　**grâce à / au**　　• les amendes coûtent cher !

Nous construirons des parkings à étages •　　　　• il n'y a jamais de place dans la rue après 18 heures !

Il faut faire attention aux interdictions de stationner •　**puisqu'**　• il n'y a pas d'autre solution.

Je me gare facilement •　　　　　　　　　　　• leur petite voiture spéciale pour la ville.

Les automobilistes sont en colère •　　**car**　　• nouveau parking qu'il y a juste à côté de chez moi.

10 **Écoutez et dites dans quel but cette personne a décidé de ne plus utiliser sa voiture en ville mais un vélo.**

Temps	
Argent	
Santé	
Sécurité	

Production écrite

11 **Lisez le texte et répondez aux questions.**

> **La ville de Grenoble et ses « parkings relais »**
>
> Les parkings relais se trouvent aux entrées de la ville. Les automobilistes qui viennent de la périphérie peuvent laisser leur voiture dans ces parkings et prendre le tramway ou le bus pour aller au centre-ville. C'est une solution intéressante puisque le parking relais coûte entre 2,10 euros et 3,10 euros par jour et que toutes les personnes qui se trouvent dans la voiture (5 maximum) ont un ticket aller-retour gratuit pour aller au centre-ville.

Que pensez-vous des « parkings relais » ? Quels sont les avantages ? Quels sont les inconvénients ?

....

....

....

....

....

....

Zénith

La ville idéale

Compréhension orale

1 Écoutez et répondez aux questions.

a. Qu'est-ce que la ville de Québec voudrait changer dans ses rues ?

....

b. En plus d'être plus écologiques et plus économiques, comment seraient les poubelles idéales pour la ville de Québec ?

....

c. Dans combien de pays la société finlandaise vend-elle des poubelles conteneurs ?

....

d. Est-ce que la ville de Québec peut être intéressée par ces conteneurs ? Pourquoi ?

....

e. Pourquoi ces conteneurs sont-ils plus écologiques ?

....

f. Est-ce que la ville de Québec va acheter ces conteneurs à la société finlandaise ? Justifiez.

....

Vocabulaire

2 Écoutez et complétez les phrases avec les mots manquants.

a. C'est important qu'une ville propose beaucoup d'.. .

b. C'est bien, dans ma ville, les .... sont nombreux : on a le métro, le tram, le bus et le vélo si on veut !

c. Je pense qu'entre voisins, on doit ....

d. Je vis dans une .... de plus de 500 000 habitants.

e. Il faudrait trouver une solution contre la .... en ville. Mais c'est un grand .... !

f. Je vais .... la ville où j'habite parce le plus important pour moi, c'est la ....

3 Complétez avec les mots suivants :

la diversité – la proximité – les déplacements – urbains – piétonne – s'installer.

a. Depuis que nous avons le métro dans la ville, ... sont beaucoup plus rapides !

b. Les gens sont définitivement .... Ils cherchent tous à vivre en ville !

c. J'habite dans une rue .... parce que je ne peux pas supporter le bruit des voitures qui passent !

d. .... dans une ville à taille humaine est le rêve de beaucoup de monde. Ni trop petite, ni trop grande.

e. Quand je cherche un nouvel appartement, je fais très attention à .... des commerces. Je veux pouvoir acheter une baguette de pain le matin sans traverser la ville.

f. Grâce à .... des activités culturelles, une ville peut avoir beaucoup de succès. Les gens veulent avoir le choix, ils veulent qu'on leur propose des choses différentes à faire.

4 Associez, comme dans l'exemple.

Dans cette rue mal éclairée, •   • on a besoin d'espaces verts.

À cause de la pollution dans les villes, •   • donc on construit de plus en plus de gratte-ciel.

On ne peut pas vivre seulement au milieu des immeubles et des bâtiments, •   • on a accès à beaucoup d'activités culturelles.

La population augmente, il n'y a plus assez d'espace, •   • les gens s'intéressent de plus en plus aux problèmes écologiques.

Quand on vit dans une grande ville, •   • il est urgent de mettre des lampadaires.

Dans les très grandes villes on perd trop de temps, •   • *serait de faire attention les uns aux autres.*

L'idéal en ville •   • donc les gens préfèrent s'installer dans des villes à taille humaine.

Phonétique

5 Écoutez. Entendez-vous le son [ɑ̃] ou le son [ɔ̃] ?

	[ɑ̃]	[ɔ̃]
Exemple	X	
a.		
b.		
c.		
d.		
e.		
f.		

6 Écoutez. Entendez-vous le son [ɛ̃] ?

	J'entends le son [ɛ̃]	Je n'entends pas le son [ɛ̃]
Exemple		X
a.		
b.		
c.		
d.		
e.		
f.		

Grammaire

7 Complétez, comme dans l'exemple.

Exemple : Dans ma ville il y a des gratte-ciel. Dans la ville idéale, ... (avoir des immeubles de 4 étages maximum).

→ *Dans la ville idéale, il y aurait des immeubles de 4 étages maximum.*

a. Dans ma ville, on prend le métro. Dans la ville idéale, on ..se déplacerait.. (se déplacer grâce à des vélos aériens).

b. Dans ma ville, on ne connaît pas ses voisins. Dans la ville idéale, on ....ferait.... (faire attention les uns aux autres).

c. Dans ma ville, les relations entre les habitants sont parfois difficiles. Dans la ville idéale, on ....vivrait.... (vivre tous en harmonie).

d. Dans ma ville, il y a beaucoup trop d'habitants. La ville idéale ....serait.... (être à taille humaine).

e. Ma ville n'est pas très dynamique. Dans la ville idéale, on ....proposerait.... (proposer plus d'activités culturelles).

f. Dans ma ville, il y a seulement deux parcs. Dans la ville idéale, on ....développerait.... (développer les espaces verts).

8 Écoutez. Entendez-vous un verbe au conditionnel présent ou à l'imparfait ?

	Conditionnel présent	Imparfait
Exemple	X	
a.		
b.		
c.		
d.		
e.		
f.		

9 Transformez les phrases suivantes pour exprimer un idéal, comme dans l'exemple.

Exemple : Les routes sont bonnes → Les routes seraient bonnes.

a. Nous pouvons tous accéder au logement.

....

b. Tu vis dans un quartier écologique.

....

c. Je ne vis pas dans la pollution.

....

d. Vous avez la sécurité et le confort.

....

e. Il n'y a que des rues piétonnes dans le centre-ville.

....

f. Ils s'entraident entre voisins.

....

Production écrite

10 La ville de Dakar a participé au concours « Ma ville idéale ».

Le principe : proposer deux photos de votre ville, une qui représente pour vous un endroit idéal, et une autre qui montre un endroit que vous détestez. Décrivez les deux photos que vous proposeriez pour participer à ce concours.

Exemple : Sur la première photo on verrait .... il y aurait .... Pour moi, c'est idéal parce que ....

....
....
....

La ville et ses clichés

Compréhension orale

1 Écoutez et répondez par vrai ou faux.

Pour la personne interrogée :

a. un cliché est l'idée qu'on a d'un pays, d'une ville ou de ses habitants, par exemple. ❑ Vrai ❑ Faux

b. un cliché correspond toujours à la réalité. ❑ Vrai ❑ Faux

c. c'est possible de ne pas avoir de clichés. ❑ Vrai ❑ Faux

2 Écoutez encore une fois et répondez aux questions.

a. Est-ce que la personne interrogée pense que Paris est encore la ville de la mode ?

....

b. Selon elle, comment les clichés sur Paris et la mode arrivent à l'étranger ?

....

c. Selon elle, pourquoi des clichés se créent aussi quand on découvre un pays ou une ville pour la première fois ?

....

d. Selon elle, comment peut-on sortir des clichés ?

....

Vocabulaire

3 Écoutez et complétez.

a. Je suis très _attirée_ par cette ville. Je rêve d'y aller et de la _connaître_ enfin. J'ai vu beaucoup de photos de ses _buildings_. C'est _fascinante_ !

b. Je ne supporte plus de visiter les grandes villes. La _foule_, le métro _bondé_ et les _bousculades_ c'est vraiment désagréable !

c. Tout le monde a des _clichés_ sur les villes. On pense à l'étranger que Paris est la ville du _romantisme_ ou encore de la _culture_, par exemple.

4 Associez, comme dans l'exemple.

Les taxis se déplacent • • pour son livre sur la Ville lumière.

La ville des buildings ? • • m'a permis de sortir de certains clichés.

Je vais vous présenter un livre extraordinaire. • • La Grosse Pomme, bien sûr !

Il a trouvé un éditeur • • on la compare toujours avec la sienne.

Une conversation intéressante • • *Il s'agit d'un livre illustré par un graphiste sur Paris et New York.*

Quand on découvre une ville • • à travers le cinéma, la littérature et la photo.

J'ai appris à connaître cette ville • • à vive allure à travers la ville !

5 Écoutez. De quel cliché on parle ?

Des joggeurs de New York	Des boutiques de New York	Des comédies musicales de New York	De Paris, la ville du luxe	De Paris, la capitale de la mode
e	c	a.	b	d

Phonétique

6 Écoutez. Entendez-vous le son [d] ou le son [t] ?

	[d]	[t]
a.		
b.		
c.		
d.		
e.		
f.		

7 Écoutez et complétez avec la lettre *t* ou la lettre *d*.

a. C'est une ville _rès roman_ique !

b. Je dé_es_e les bouscula_des en ville !

c. Une comé_die musicale, c'est une excellen_e i_ée.

d. Pour moi, les _eux gran_es villes _e la mo_e, ce sont Lon_res et Paris.

e. C'est impor_ant_e profi_er _e la cul_ure _e la capi_ale.

Grammaire

8 Reformulez les phrases en commençant par : *On dit que*.

a. Paris est la ville de la mode et elle est aussi la ville du luxe.

On dit que Paris est la ville de la mode et ~~elle est aussi la ville~~ du luxe.

b. New York est la ville des joggeurs et ses rues sont pleines de taxis jaunes.

On dit que New York est la ville des joggeurs ~~et ses rues sont~~ dont les rues sont pleines de taxis jaunes. ~~pleines de taxis jaunes.~~

c. Montréal est une ville où il fait très froid et les gens ne sortent pas beaucoup l'hiver.

On dit que Montréal est une ville où il fait très froid et les gens ne sortent pas beaucoup l'hiver.

d. Lille est une ville très accueillante et culturellement, elle est dynamique.

On dit que Lille est une ville très accueillante et culturellement ~~dynamique~~

e. À Kinshasa, en plus du français, quatre autres langues nationales sont parlées. On peut entendre toutes ces langues dans une même conversation.

On dit qu'à Kinshasa, en plus du français, quatre autres langues nationales sont parlées qu'on peut entendre une même conversation.

9 Transformez au discours indirect.

a. Est-ce que la ville d'Abidjan t'a plu ?

Il me demande _si la ville d'Abidjan m'a plu._

b. Qu'est-ce que tu penses de la ville de Dakar ?

Il me demande _ce que je pense de la ville de Dakar._

c. Quelle ville tu aimerais visiter l'année prochaine ?

Il me demande _quelle ville j'aimerais visiter l'année prochaine._

d. Tu connais la ville de Québec ?

Il me demande _si je connais la ville de Québec._

e. Qu'est-ce que tu vas faire à Lausanne ?

Il me demande _ce que je va faire à Lausanne._

f. Pourquoi tu t'es installé dans cette ville ?

Il me demande _pourquoi m'es installé dans cette ville._

g. Comment tu as trouvé la ville ?

Il me demande _comment j'ai trouvé la ville._

h. Qu'est-ce que tu feras quand tu seras à Paris ?

Il me demande _ce que je ferai quand je serai à Paris._

10 Reformulez en utilisant *J'aimerais savoir* ou *Je voudrais savoir*, comme dans l'exemple.

Exemple : Est-ce qu'il existe un livre d'illustrations qui compare la ville de Paris et la ville de New York ?

→ *J'aimerais savoir s'il existe un livre d'illustrations qui compare la ville de Paris et la ville de New York.*

a. Qui a eu l'idée de faire ce livre ?

_____

b. Pourquoi ce graphiste a-t-il fait ce livre ?

_____

c. Est-ce que ce graphiste est français ou américain ?

J'aimerais savoir si ce graphiste est français ou américain.

d. Où vit ce graphiste : à Paris ou à New York ?

J'aimerais savoir si ce graphiste vit à Paris ou à New York.

e. C'est vrai qu'il est devenu célèbre grâce à ce livre ?

J'aimerais savoir s'il est devenu célèbre grâce à ce livre.

f. Est-ce qu'il a vraiment été découvert grâce à son blog ?

J'aimerais savoir s'il a vraiment été découvert grâce à son blog

Production écrite

11 Quels sont les clichés que les étrangers ont sur votre ville, votre pays ou ses habitants ?

Selon vous, lesquels correspondent à la réalité, lesquels n'y correspondent pas ? Expliquez en donnant des exemples.

_____

_____

_____

_____

Civilisation

Dans les transports en commun

1 Lisez le texte et répondez aux questions.

Interrogés par la RATP[1], 97 % des voyageurs ont été témoins d'incivilités[2] lors des 30 derniers jours. Cette enquête a permis de réaliser un TOP 10 des pires comportements aperçus dans le métro parisien.

1 - Parler fort avec son téléphone portable collé à l'oreille

2 - Sauter par dessus les tourniquets

3 - Laisser son journal sur un siège

4 - Rentrer dans la rame ou le bus sans laisser descendre les autres voyageurs : le savoir-vivre veut qu'on laisse descendre du wagon les voyageurs, avant d'y entrer.

5 - Ne pas valider son titre de transport

6 - Ne pas se placer à droite sur un tapis roulant ou un escalator : sur un escalator comme sur la route, en France on double par la gauche. Logiquement, dès que possible, on se range sur la droite pour laisser passer les plus pressés.

7 - Manger à bord des trains ou des bus : une tache est si vite arrivée, sur votre veste, ou pire, celle de votre voisin.

9 - Bousculer sans s'excuser en voulant entrer ou sortir d'une rame ou d'un bus

10 - Rester assis sur son strapontin[3] en période d'affluence

1. RATP : Régie autonome des transports parisiens.
2. Une incivilité : attitude qui manque de politesse, de courtoisie.
3. Un strapontin : siège qu'on baisse pour s'asseoir et qui est plié quand personne ne l'utilise.

a. Qui s'est intéressé au problème des incivilités dans le métro ? ....

b. En un mois, 97 % des voyageurs : ☐ font des incivilités ☐ voient les autres commettre des incivilités

c. Qu'a permis de réaliser l'enquête ? ....

2 Que faire contre ces incivilités ?

La RATP a voulu montrer avec humour une série de comportements qui empoisonnent[1] la vie des usagers des transports en commun afin de lutter contre les incivilités. C'est sur de grandes affiches du métro parisien que l'on peut voir des mises en scène d'animaux qui nous ressemblent. On peut voir une poule qui parle au téléphone et dérange les autres, un buffle qui entre dans le métro sans laisser sortir les gens, ou encore un paresseux, assis sur un strapontin alors qu'il y a beaucoup de monde dans le métro.

1. Empoisonner la vie des autres : rendre la vie très difficile.

À votre avis, pourquoi la RATP a utilisé ces animaux sur ses affiches ?

Une poule : ....

Un buffle : ....

Un paresseux : ....

3 Quelles sont les incivilités que vous supportez le moins ?

Expliquez pourquoi en vous appuyant sur votre expérience personnelle.

....
....
....
....
....
....
....
....

Loisirs, plaisirs

Vocabulaire

• Des noms
un abonné
une aptitude
un avocat
un agneau
un amateur
une artère
l'artisanat
une association
l'audience
un bouquin (*familier*)
une brebis
un cadet
la cantine
un classement
un code
la communauté
la comptabilité
une concurrence
une conscience
un contenu
la convivialité
une couette
une daube
une dinde
la discipline
la douceur
un environnement
un épanouissement
un fragment
du fromage à tartiner
du gingembre
une gorgée
la gravure
une grotte
un internaute
un intitulé
la laïcité
les liens sociaux
une loi
une mode
une moisissure
la mousse

un mouton
une oie
un palais
une personnalité
le plateau-repas
la porcelaine
un principe
un privilège
un public
un quatre-heures
   (*familier*)
un raffinement
une reprise
une tartine
une thématique
   (un thème)
le tricot
des tripes
une truffe
une vocation

• Des adjectifs
amateur
   ≠ professionnel
contestable
épanoui(e)
fatal(e)
féerique
frais / fraîche
immatériel(le)
incontesté(e)
inventif / inventive
ivre
monotone
mystérieux/se
possessif / possessive
privilégié(e)
respectif / respective
ridicule
rude
subtil(e)
visité(e)

• Des verbes
célébrer
confectionner
contester
cumuler
détourner
détrôner
entretenir
envier
initier
inscrire
nier
opposer
pendre
persuader
profiter
récupérer
reprendre
réserver
rompre
s'apercevoir
s'enthousiasmer
s'entourer
se détendre
supplanter
tenir
tenter
titrer
trembler
tremper
vanter
vider

• Manières de dire
aller plus loin que...
(en) avoir l'eau
   à la bouche
bien au chaud
c'est bon signe
   ≠ c'est mauvais signe
c'est du luxe !
c'est génial
des petits riens

en 6ᵉ / en bonne
   position
en avoir marre de
   (quelque chose /
   quelqu'un)
être au courant
   (de quelque chose)
(être) passé de mode
être pendu
   au téléphone
faire bonne impression
faire des chichis
il en faut ≠ il n'en faut
   pas beaucoup
la madeleine de Proust
métro, boulot, dodo !
monsieur et madame
   tout le monde
partir du bon pied
prendre conscience
   (de quelque chose)
prendre le temps de...
réserver des surprises
se tuer à la tâche
   (*familier*)
trouver son bonheur
(y) trouver son compte

OBJECTIFS

- Évoquer des souvenirs
- Rédiger un texte à la manière d'une table des matières
- Écrire un texte descriptif
- Écrire un texte journalistique
- Proposer
- Comprendre des titres de journaux
- Exprimer ses envies
- Commenter des données statistiques
- Critiquer / mettre en valeur
- Reformuler des propos
- Comparer
- Argumenter
- Rédiger un court argumentaire (avantages / inconvénients)
- Décrire ses loisirs

Les plaisirs minuscules

Compréhension orale

1 Écoutez, puis dites quels sont les plaisirs des trois personnes interrogées. 🎧

Ninon : ....

....

Fabrice : ....

....

Samia : ....

....

Vocabulaire

2 Complétez le texte à l'aide des expressions suivantes :

~~agneau~~ - ~~c'est génial~~ - réserver des surprises — dinde - raffinement - ~~truffes~~ - cantine - ~~célébrer~~ - ~~réservé~~ - amateur - monsieur et madame tout le monde - c'est bon signe.

J'avais rendez-vous à 20 heures avec Sabrina. J'avais ...... *réservé* ...... une table dans un grand restaurant. Dès qu'elle est arrivée, Sabrina s'est enthousiasmée :

– Ce restaurant est très chic ! Moi, j'ai l'habitude de ma petite ...... *cantine* ...... d'entreprise. Je te remercie pour ton invitation, ... *c'est génial* ...... !

– Je suis donc encore capable de te ...... *réserver des surprises c'est bon signe* ...... ! En effet, ce n'est pas le restaurant de ...... *monsieur et madame tout le monde* .... C'est pour ...... *célébrer* ...... ton anniversaire.

– Oh, quel ...... *raffinement* ...... ! Je sais bien que tu es ...... *amateur* ...... de bonnes choses. As-tu regardé le menu ?

– Non, pas encore, mais j'avais envie d'un plat de viande : de l' ...... *agneau* ...... ou de la ...... *dinde* .... Et toi ?

– Oh moi, je vais choisir le veau à la crème avec des ...... *truffes* ....

Grammaire

indirect → preceded by à

3 Répondez aux questions par oui ou par non en utilisant le pronom qui convient : **le (l') – la – les – lui – leur.**

*Exemple : Vous voyez la tour Eiffel de la fenêtre ? – Oui, je **la** vois.*

a. Vous lisez la presse ? *Oui, nous la lisons.*

b. Il parle souvent à son professeur ? *Oui, je lui parle souvent.*

c. Elle a créé ce site Internet ? *Oui, elle l'a créé.*

d. Elle répondra aux internautes ? *Oui, elle répondra.*

e. Vous avez vu les recettes de cuisine sur son blog ? *Oui, nous les vues. nous avons*

Je les y ai vues.

4 Répondez aux questions par oui ou par non en utilisant le pronom qui convient.

Exemple : Elle a utilisé son ordinateur ? Non, elle ne l'a pas utilisé.

N **a.** Tu as essayé ta nouvelle robe ?

~~Oui~~ Non, je ne l'ai ~~pas~~ essayée ~~pas~~.

b. Tu as pris les livres de poésie ?

Oui, je les ai pris.

N **c.** Vous avez fait une grasse matinée ?

Non, nous ~~rien n'~~avons ~~faite pas~~ pas fait ~~une~~ une.

d. Elle a goûté ce fromage ?

Oui, elle l'a goûté.

N **e.** Ils ont pris les crêpes au chocolat ?

Non, ils ne les ont pas prises.

5 Répondez aux questions en utilisant le pronom y.

Exemple : Tu vas souvent sur Internet ? (oui, tous les soirs) – Oui j'y vais tous les soirs.

a. Elle a habité à Paris ?

Oui, elle y a habité pendant deux ans. *(Oui, pendant deux ans)*

b. Vous dormez souvent à l'hôtel ?

Non, nous y dormons rarement. *(Non, rarement)*

c. Tu as pensé à regarder son blog ?

Oui, j'~~ai~~ y ai pensé. *(Oui)*

d. Elle viendra à l'université aujourd'hui, tu crois ?

Non, elle y viendra demain. *(Non, demain)*

e. Vous retournerez en Italie cette année ?

~~Oui~~ Non, *(Non, l'an prochain)*

6 Répondez par une phrase affirmative puis négative.

Exemple : Il te prête :
a. son livre ? → Oui, il me le prête. Non, il ne me le prête pas.
b. sa moto ? → Oui, il me la prête. Non, il ne me la prête pas.
c. ses crayons ? → Oui, il me les prête. Non, il ne me les prête pas.

only have agreement w/
verb; direct object.

a. Elle leur montre :

– sa page Facebook ? → Oui, elle la leur montre.

– son blog ? → Non, elle ne le leur montre pas.

– ces sites dérisoires ? → Oui, elle les leur montre.

b. Vous nous apprendrez :

– le français ? → Oui, nous vous l'apprendrons.

– la musique ? → Non, nous ~~ne~~ vous l'apprendrons pas.

– les mots de vocabulaire ? → Oui, nous vous les apprendrons.

c. Tu leur as offert :

– des madeleines ? → Oui, je leur en ai offert.

– le fromage de brebis ? → Oui, je le leur ai offert.

– la plante ? → Non, je ne la leur ai pas offerte.

d. Il te présentera :

– les sites de sa région ? → Oui, il me les présentera.

– sa petite amie ? → Non, il ne me la présentera pas.

– son livre préféré ? → Oui, il me le présentera.

7 Écoutez le dialogue entre ces deux enquêteurs et complétez-le avec le pronom qui convient.

– J'aperçois l'individu, il porte une casquette et une valise. Tu .... vois ?

– Non, il .... porte sur la tête ?

– Sur la tête ? Mais non, il .... tire, qu'est-ce que tu me racontes ?

– Je .... vois. Blouson rouge devant les grands arbres.

– Mais qu'est-ce que tu racontes ? Il .... a passés depuis longtemps, non, c'est la valise qu'il tire, tu comprends ?
La casquette, je n'..................... parle même pas.

– Il ne .... porte pas ?

– Mais non, il .... traîne, la valise, je ne te parlais pas de sa casquette ! Tu .... vois enfin ?

– Ah oui, ça y est, je .... aperçois : il discute avec deux hommes !

– Il .... remet, ça y est : on peut intervenir.

– Mais de quoi tu parles, de la valise ou la casquette ?

– Les deux, il .... donne, je te le dis, toutes les deux.

– Alors on y va, dis .... aux collègues !

– OK, je .... dis.

Phonétique

8 Écoutez, puis entourez la phrase entendue.

Il va y aller à minuit.	Il va aller à minuit.
Il finit sa tartine au sucre.	Il a pu finir sa tartine au sucre.
Il n'a pas lu *Les minuscules plaisirs* de Delerm.	Il ne lit pas *Les minuscules plaisirs* de Delerm.
Tu lui as pris sa purée ?	Tu as pris de la purée ?
Je l'ai pris.	Je ne l'ai plus.
Il n'a pas fini son site, c'est sûr.	Il n'a pas pu finir son site, c'est sûr.
Tu l'aimes bien cuit ou plutôt cru ?	Tu l'aimes bien cru ou plutôt cuit ?

Production écrite

9 Vous avez créé une page Facebook sur votre animal de compagnie. Ce choix n'est pas du goût de vos amis : défendez-vous !

....

....

....

....

....

....

Achat plaisir

Compréhension orale

1 Écoutez le dialogue entre ces deux amies, puis répondez par vrai ou faux. ◉

a. Lila a les moyens de faire les soldes avec son amie.   ❏ Vrai ❏ Faux

b. Le mari d'Alice a un bon salaire.   ❏ Vrai ❏ Faux

c. Lila ne veut pas accompagner son amie car elle a un cours.   ❏ Vrai ❏ Faux

d. Alice profite des soldes pour faire les achats dont elle aura besoin dans l'année.   ❏ Vrai ❏ Faux

e. Les bottes que voudrait Lila sont à moins 70 %.   ❏ Vrai ❏ Faux

f. Lila utilise de vieux objets pour en créer de nouveaux.   ❏ Vrai ❏ Faux

Vocabulaire

2 Faites une phrase avec les mots proposés.

Exemple : dénicher – espoir ➔ *Elle a l'espoir de dénicher une veste bon marché.*

a. acquérir – mettre la main à la poche – abordable

....

b. bousculer – une queue

....

c. renoncer à – en augmentation

....

d. un consommateur – reprendre son souffle – une vitrine

....

e. attractif – un centre commercial

....

3 Complétez le texte avec les expressions suivantes :

renoncer à – centre commercial – flâner – souffle – stocks – cohue – parcours du combattant.

– J'en ai le .... coupé ! Tu as vu tout ce monde dans le .... ?

– Tu as raison, regarde tous ces clients qui se bousculent, c'est la .... !

– Moi qui avais un peu de temps et qui pensais .... un peu, eh bien, c'est fichu.

– Tu l'as dit ! Si nous voulons faire nos courses, ça va être un vrai .... Je crois bien que nous devrions

tout simplement .... faire nos courses aujourd'hui

– Je suis d'accord avec toi : on reviendra demain. Ils ont des ...., ne t'inquiète pas, on trouvera tout ce qu'il nous faut un autre jour.

Phonétique

4 Lisez cette chanson de Maxime le Forestier et relevez les mots contenant le son [ɛ̃], le son [ɑ̃] ou le son [ɔ̃].

[ɛ̃]	[ɑ̃]	[ɔ̃]
	avant	

Dialogue, de Maxime Le Forestier (1973)

« Avec ce que j'ai fait pour toi,
Disait le père,
– Je sais, tu me l'as dit déjà,
Disait l'enfant.
J'en demandais pas tant.
Je suis là pour
Tourner autour
De cette Terre
Tant que je suis vivant.

– Vivant, qui t'a donné la vie ?
Disait le père.
– Si c'est pour la passer ici,
Disait l'enfant,
Tu as perdu ton temps.
Si les fumées,
Dans les rues fermées,
Te sont légères,
Moi j'ai besoin du vent.

– Et si tu venais à mourir ?
Disait le père.
– On est tous là pour en finir,
Disait l'enfant,
Mais peu importe quand.
Je ne suis né
Que pour aller
Dessous la terre
Et l'oublier avant.

– Nous, on vivait pour quelque chose,
Disait le père.
– Vous êtes morts pour pas grand-chose,
Disait l'enfant.
Je n'en ai pas le temps
Si, pour garder
Les mains liées,
Il faut la guerre.
Moi je m'en vais avant.

– Ce monde, je l'ai fait pour toi,
Disait le père.
– Je sais, tu me l'as dit déjà,
Disait l'enfant.
J'en demandais pas tant.
Il est foutu
Et je n'ai plus
Qu'à le refaire
Un peu plus souriant
Pour tes petits-enfants. »

Grammaire

5 Complétez les phrases en utilisant *avant que – jusqu'à ce que – en attendant que.*

a. Il faut entrer .... les magasins ferment leurs portes.

b. Je vais téléphoner à Henry .... tu passes à la caisse.

c. Les clients s'agitent et s'impatientent .... les caissières veuillent bien terminer leur travail.

d. Ils auront terminé leurs achats .... l'on annonce la fermeture du magasin.

e. .... nous ne sortions pour prendre le métro, je vérifierai que je n'ai rien oublié : j'ai tellement dépensé aujourd'hui. Il faut dire qu'il y avait de vraies bonnes affaires.

f. Mais .... qu'ils ne ferment définitivement, je trouverais bien le moyen de revenir faire un peu de shopping.

6 Complétez les phrases en conjuguant le verbe entre parenthèses.

a. Les soldes commenceront quand les commerçants .... (*mettre*) leurs affiches et .... (*changer*) les prix des articles.

b. Anna était très dépensière. Le samedi, une fois qu'elle .... (*finir*) le repas, elle traînait toujours dans les grandes surfaces.

c. Dès que vous .... (*faire*) votre choix, dirigez-vous vers les caisses pour effectuer votre paiement.

d. Quand on .... (*faire des affaires*), on se sent heureux !

e. Je pourrai commencer mes achats lorsque mon patron m' .... (*payer*).

Production écrite

7 Choisissez un personnage et son emploi du temps. Racontez sa journée en utilisant des expressions d'antériorité, de postériorité et de simultanéité.

Exemple : Après son réveil à 7 heures, Alexandre saute directement sous la douche avant de prendre son petit déjeuner.

Alexandre,
professeur de français

7 h réveil
7 h 30 petit déjeuner
8 h départ de la maison
9 h cours au lycée
11 h pause
12 h 30 fin des cours
13 h déjeuner

14 h 30 leçon de piano
15 h 30 rendez-vous avec ses enfants
18 h retour à la maison
19 h 30 sortie au restaurant

Maryline,
secrétaire de direction

6 h 30 réveil
8 h 30 réunion avec la direction
10 h 30 accueil des partenaires étrangers
11 h 30 envoi de mails
12 h 30 déjeuner à la cantine
        de l'entreprise
14 h classement du courrier
15 h appels téléphoniques
17 h courses au supermarché
20 h dîner chez des amis

Julio,
artiste peintre

9 h réveil
10 h 30 visite de l'atelier de Louis
12 h exposition de peinture
14 h déjeuner dans un restaurant chic

16 h visite du musée
20 h pause à la maison
22 h restaurant

Le plaisir des papilles

Compréhension orale

1 Écoutez le début de ce reportage.

a. Quel est le nom de cette manifestation ?
- ❑ La Semaine du goût
- ❑ le Tour du monde en 80 plats
- ❑ la Fête de Jules Verne

b. Qui organise cette fête ?
- ❑ La communauté chinoise
- ❑ La mairie de Besançon
- ❑ Les étudiants

c. Quel est l'objectif de cette manifestation ?
- ❑ permettre aux gens de se connaître, de se rencontrer
- ❑ manger à bon marché
- ❑ permettre aux gens d'apprendre à cuisiner.

2 Écoutez le reportage à nouveau, puis indiquez le stand qui correspond le mieux aux goûts de chaque personne.

Stand 1	Stand 2	Stand 3	Stand 4	Stand 5
Fromages	*Poissons et fruits de mer*	*Viandes au feu de bois*	*Entrées variées*	*Brochettes de poulet épicé*

Personne 3 ....

....

Vocabulaire

3 Associez chaque mot à sa définition.

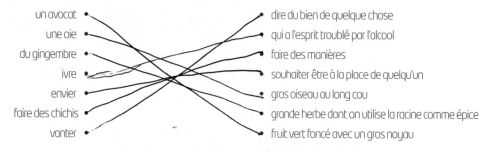

un avocat • • dire du bien de quelque chose
une oie • • qui a l'esprit troublé par l'alcool
du gingembre • • faire des manières
ivre • • souhaiter être à la place de quelqu'un
envier • • gros oiseau au long cou
faire des chichis • • grande herbe dont on utilise la racine comme épice
vanter • • fruit vert foncé avec un gros noyau

[Handwritten note at top: bien que – even though → followed by adj. → takes subjunctive / needs to be followed by a noun → despite]

Grammaire

4 **Transformez ces phrases en utilisant *malgré*** **et en changeant les mots soulignés par un nom.**

Exemple : Les élèves continuaient de l'écouter alors qu'il était incohérent. → Les élèves continuaient de l'écouter malgré son incohérence.

a. Elle a épousé Thomas bien qu'il soit maladroit.
→ Elle a épousé Thomas malgré sa maladresse.

b. Nous avons choisi ces quatre plats bien qu'ils soient très divers.
→ Nous avons choisi ces quatre plats malgré leur diversité.

c. Elle est venue bien que le pays soit pauvre.
→ Elle est venue malgré la pauvreté.

d. Jack et Peter sont très amis bien qu'ils soient différents.
→ Jack et Peter sont très amis malgré leurs différences.

e. Ce film n'a pas eu de succès bien qu'il soit très beau.
→ Ce film n'a pas eu de succès malgré sa beauté.

5 **Faites une seule phrase en transformant l'énoncé souligné** **en un groupe nominal.**

Exemple : Il est ponctuel, c'est pour cela que je l'apprécie. → Je l'apprécie pour sa ponctualité.

a. La visite de l'atelier a été brève ; les visiteurs étaient furieux.
→

b. Le serveur est agressif ; je ne comprend pas.
→

c. Ce dessert est étrange : il faut le mentionner dans la critique gastronomique.
→

d. Les pluies ont été violentes ; cela a surpris le conducteur.
→

e. Son accueil est délicat ; les invités apprécient cela.
→

f. Nous sommes gourmands en vacances ; cela nous fait prendre du poids.
→

g. Le climat est doux : j'aime beaucoup !
→

6 **Indiquez quel nom correspond à chacun de ces adjectifs.** **Puis faites une phrase avec ce nom.**

Exemple : ponctuel → la ponctualité. J'ai été impressionné par sa ponctualité : l'avion était parfaitement à l'heure à l'arrivée.

a. réel → réalité. La réalité est factuelle.

b. drôle → drôlerie

c. grand → grandeur

d. bref → brièveté

e. franc → franchise

Phonétique

7 Écoutez, puis suivez les consignes. ⦿

a. Classez les noms en fin de phrase, selon qu'ils sont masculins ou féminins.

Masculin	Féminin
l'épicier	

b. Écoutez les terminaisons des verbes : entendez-vous le son [e] ou le son [ɛ]?

[e]	[ɛ]
	Je cuisinais

Production écrite

8 Vous participez à la manifestation « Le Tour du monde en 80 plats ».

Une personne hésite à s'arrêter à votre stand. Vous trouvez les arguments pour le convaincre.

a. Choisissez deux ou trois plats que vous auriez cuisinés.

b. Dressez une liste d'adjectifs qui les caractérisent.

c. Élaborez votre argumentaire.

Quand loisir rime avec plaisir

Compréhension orale

1 Écoutez ce reportage et répondez par vrai ou faux.

a. Paris Plages est une opération qui dure toute l'année.

❏ Vrai ❏ Faux

b. L'initiative n'a pas connu un grand succès l'an passé.

❏ Vrai ❏ Faux

c. C'est la seule activité proposée aux Parisiens.

❏ Vrai ❏ Faux

d. Tous les Parisiens partent en vacances en juillet et en août.

❏ Vrai ❏ Faux

e. Les activités s'adressent uniquement aux sportifs.

❏ Vrai ❏ Faux

2 Écoutez le reportage une deuxième fois et répondez aux questions.

a. Quelles sont les dates de l'opération Paris Plages ?

....

b. Combien de kilomètres de plages y a-t-il ?

....

c. Citez trois activités proposées aux Parisiens.

....

Vocabulaire

3 Barrez l'intrus dans ces séries de mots.

a. se détendre / récupérer / se reposer / s'énerver

b. la personnalité / l'artisanat / la gravure / la porcelaine

c. la convivialité / les liens sociaux / une association / le tricot

d. métro, boulot, dodo / se tuer à la tâche / être pendu au téléphone / prendre le temps

4 Choisissez deux mots dans chaque liste de l'exercice 3 et écrivez une phrase.

Exemple : se détendre / s'énerver ➔ *J'ai décidé de me détendre aujourd'hui, donc je ne vais pas m'énerver.*

a. mot choisis : ....

➔ ....

b. mot choisis : ....

➔ ....

c. mot choisis : ....

➔ ....

d. mot choisis : ....

➔ ....

Grammaire

5 Entourez la conjonction qui convient.

a. Il fait peu de sport *si* / *tellement* / *c'est pourquoi* il est souvent malade.

b. Nous parlons *tant* / *tellement* / *donc* bien les langues étrangères, que voyager ne nous pose pas de problème.

c. Elle a parlé *de telle façon* / *donc* / *alors* qu'elle a convaincu ses parents de le laisser choisir ses loisirs.

d. Il commence à faire froid en cette saison, il faut *donc* / *alors* / *tant* rallumer le chauffage et prévoir un bon pull.

e. La crise se fait sentir, *c'est pourquoi* / *tellement... que* / *si bien que* les Français réduisent leurs dépenses et attendent les soldes.

f. On mange trop de thon rouge, *si bien que* / *tant de* / *tellement* cette espèce devient de plus en plus rare.

g. Certaines activités s'adressent uniquement aux grands sportifs *si bien qu'* / *tellement qu'* / *tant* il n'a pas pu s'inscrire à tout.

h. Je suis encore étudiant *si bien que* / *c'est pourquoi* / *alors* je peux partir deux mois tous les étés.

Compréhension écrite

6 Lisez le texte, puis répondez par vrai ou faux.

Découvrez de nouvelles activités : les loisirs à la mode

Si on vous demande quelle est la mode de cet été, vous pensez tout de suite shorts ou maillots de bain. Mais la mode ne concerne pas que les vêtements ! Tout évolue : la décoration, la cuisine et, chose plus surprenante, les loisirs ! En effet, de nouveaux loisirs apparaissent.
Voici quelques idées pour transformer vos week-ends en avec des loisirs originaux.

Promenades originales du dimanche

Oubliez vos promenades autour de la maison ! Vous pouvez, par exemple, retomber en enfance en participant (seul ou avec vos enfants) à une chasse au trésor au cœur de votre ville.
Au lieu de marcher sans but dans Paris, découvrez la capitale en suivant les traces d'une artiste, comme Édith Piaf.

Idées originales pour vos ateliers du week-end

Aujourd'hui, vous pouvez créer vos propres produits de beauté, participer à un atelier de recyclage d'objets ou enregistrer vos chansons en studio. Les possibilités sont nombreuses !
Seul ou entre amis, les ateliers d'aujourd'hui regroupent toutes les thématiques possibles.

Loisirs originaux pour sportifs

Ne soyez pas vieux jeu ! Pour changer du football ou du tennis, essayez l'un de ces nouveaux sports très curieux. Le rolling bulle (on se met dans une énorme bulle, puis on roule), le benji éjection (saut à l'élastique à l'envers) et le jorkyball (sport collectif entre le football et le squash) ne sont pas des plats bizarres mais bien des sports que vous pouvez pratiquer dans de nombreuses régions françaises. À vous de les découvrir !

Que vous soyez célibataire, en couple ou en famille, vous trouverez forcément des idées loisirs originales...

---

a. Les loisirs changent.

❏ Vrai ❏ Faux

b. On peut aller à la chasse le dimanche à Paris.

❏ Vrai ❏ Faux

c. Il est conseillé d'aller écouter Édith Piaf en concert.

❏ Vrai ❏ Faux

d. Les thèmes des ateliers proposés ne sont pas variés.

❏ Vrai ❏ Faux

e. Des nouveautés apparaissent aussi dans les sports.

❏ Vrai ❏ Faux

f. Les familles avec enfants ne sont pas concernées par ces loisirs.

❏ Vrai ❏ Faux

Production écrite

7 Vous avez décidé d'aller passer l'après-midi à Paris Plages.

Votre ami(e) ne veut pas vous accompagner. Donnez des arguments pour le / la décider.

....

....

....

....

8 Choisissez une activité peu connue (l'escalade en ville, par exemple) et faites-en la promotion.

Faites des recherches sur Internet si nécessaire.

....

....

....

....

Phonétique

9 Écoutez et dites si vous entendez le son [o] ou le son [ɔ] dans la dernière syllabe de ces phrases.

	[o]	[ɔ]
a.		X
b.		
c.		
d.		
e.		
f.		
g.		
h.		

Les fêtes en France

Lisez le texte, puis répondez aux questions.

Le Jour de l'an 1er janvier
Cette fête marque le début de l'année et c'est souvent l'occasion d'une réunion familiale autour d'un grand repas.

La Chandeleur début février (jour non férié)
Ce jour-là, on fait des crêpes. On dit que si on les fait sauter avec une pièce de monnaie dans la main, on sera riche toute l'année.

Mardi Gras février (jour non férié)
On se déguise ce jour-là. Certaines villes, comme Nice ou Dunkerque, organisent de grands carnavals.

Pâques en mars ou en avril
Fête religieuse qui commémore la résurrection du Christ. Les enfants cherchent partout les œufs en chocolat que les cloches, qui viennent de Rome, laissent tomber en survolant le pays.

Le 1er avril (jour non férié)
C'est le jour des plaisanteries et des farces. On dit « poisson d'avril ! » à celui à qui on fait une blague. Les enfants accrochent des poisons en papier dans le dos de leurs camarades. La plupart des médias diffusent ce jour-là de fausses nouvelles...

La fête du Travail le 1er mai
On offre du muguet comme porte-bonheur. Les syndicats défilent dans les rues.

Le 8 mai
Ce jour marque la fin de la Seconde Guerre mondiale (1939-1945).

La fête des mères le dernier dimanche de mai (jour non férié)
C'est l'occasion d'offrir un cadeau à sa mère et de partager un repas en famille.

L'Ascension le jeudi, quarante jours après Pâques
Cette fête religieuse célèbre la montée de Jésus-Christ au ciel.

La fête des pères le troisième dimanche de juin
Quelques semaines après les mères, les pères sont mis à l'honneur.

La Fête nationale le 14 juillet
Elle célèbre la prise de la Bastille en 1789 et le début de la Révolution. Les militaires défilent devant le président de la République, sur les Champs-Élysées et, le soir, on danse dans toutes les villes de France dans des bals populaires. Quand la nuit arrive, on tire des feux d'artifice.

La Toussaint le 1er novembre
En souvenir des morts, on dépose des fleurs (surtout des chrysanthèmes) sur les tombes dans les cimetières.

Le 11 novembre
Cette date commémore l'anniversaire de la signature de la paix entre l'Allemagne et la France en 1918.
Dans chaque ville, on apporte des fleurs devant le monument aux morts.

Noël le 25 décembre
Essentiellement familiale, cette fête n'est plus vraiment religieuse, mais beaucoup de gens vont à la messe de minuit le 24 décembre. On mange traditionnellement de la dinde et un gâteau appelé « bûche de Noël ». Le Père Noël apporte des cadeaux qu'il dépose au pied du sapin.

La Saint-Sylvestre le 31 décembre
Le 31 décembre, à minuit exactement, les Français s'embrassent sous le gui (plante qui pousse sur les arbres) et se souhaitent « Bonne année ! ». C'est l'occasion de faire la fête entre amis dans des soirées ou dans des discothèques.

Note : Un jour férié est un jour où l'on ne travaille pas.

1 Répondez par vrai ou faux.

a. Les enfants pêchent des poissons le 1er avril. ❏ Vrai ❏ Faux

b. Noël est une fête très religieuse. ❏ Vrai ❏ Faux

c. Pendant tous ces jours de fêtes, les Français ne travaillent pas. ❏ Vrai ❏ Faux

d. Le jour de la fête nationale, il y a un défilé à Paris sur les Champs-Élysées. ❏ Vrai ❏ Faux

2 Citez trois fêtes religieuses.

• ....

• ....

• ....

3 Quelles sont les fêtes qui célèbrent des moments de l'histoire de France ?

....

....

....

....

De l'art au quotidien

Vocabulaire

• Des noms

une affaire
un album
une arrestation
un(e) artiste
une ascension
une ballade
une bande-annonce
un besoin
une bibliothèque
un chef-d'œuvre
un(e) cinéaste
une collaboration
un collectionneur
une compétition
un(e) complice
un conte
une critique
un duo
un écran
une émotion
un(e) fan
un(e) faussaire
un festival
une fonction
la fréquentation
la gloire
un héros / une héroïne
l'indignation
l'industrie du cinéma
une intrigue
un jury
un lauréat/une lauréate
la lecture
un lien
un long-métrage
un marchand d'art
une mélodie
la mémoire
la modernité
un morceau
une mutation
un notable
la notoriété
une œuvre
les paroles (d'une
    chanson)
un personnage
le piratage
un polar (familier)
une polémique
la presse
une programmation
une provocation
le public
un réalisateur / une
    réalisatrice
une récompense

les réseaux sociaux
la réflexion
un refrain
un roman policier
une salle (de cinéma)
un scandale
un scénario
une scène
le talent
une toile
une tournée
la tradition
un tube
une vedette
un vitrier
un vol

• Des adjectifs

accrocheur/se
ancré(e) (dans)
artistique
audacieux/se
aveugle
baptisé(e) / rebaptisé(e)
comique
commercial(e)
contemporain(e)
dansant(e)
dramatique
éclectique
élogieux/se
engagé(e)
entraînant(e)
fantastique
humilié(e)
inestimable
introuvable
malhonnête
médiatisé(e)
mélancolique
mélodramatique
passionné(e) (de)
pied-noir
planant(e) (familier)
prestigieux/se
primé(e)
puissant(e)
rationnel/rationnelle
spectaculaire
superficiel/ superficielle
talentueux/se
traumatisant(e)
troublant(e)

• Des verbes

accuser
acquérir
applaudir

arnaquer
attirer
attribuer
bouleverser
célébrer
choquer
condamner
confier
conseiller
considérer
contribuer à...
se cultiver
décerner (un prix)
dédier
défiler
se dérouler
se distraire
divertir
s'évader
enregistrer
être convaincu
être persuadé
exploiter
se faire connaître
se faire plaisir
faire la queue
imiter
immortaliser
inciter à...
influencer
s'informer
juger
justifier
libérer
obtenir
présider
se produire
provoquer
rapporter
récompenser
réduire
se réfugier
remettre
remporter (un prix)
renvoyer
reprocher
séquestrer
soupçonner
remettre
surfer (sur Internet)
soutenir

• Des mots invariables

au point de
    + verbe à l'infinitif
aux yeux de ...
avant tout

dans le cadre de...
en ce qui concerne...
en fait
et puis
hors du commun
notamment
par la suite
récemment
voire

• Manières de dire

un acte de patriotisme
ça nous a ouvert
    des portes
ce n'est que deux ans
    plus tard que...
la cérémonie
    d'ouverture
c'est dû à...
c'est un cadeau
    qui n'a pas de prix !
c'est un vrai bijou
    de composition
créer du lien
la culture numérique
être à la hauteur de...
être à l'origine de...
être bourré de talent
    (familier)
être couronné
    (par un prix)
être estimé à...
un film à l'affiche
gagner la sympathie
    de...
en matière de...
il est vrai que...
il faut dire que...
mettre à l'épreuve
mettre en prison
la montée des marches
le mystère reste entier
occuper une place
    majeure
passer un bon moment
peindre « à la manière
    de »
pour rien au monde
prendre un sacré risque
    (familier)
le principe selon lequel...
le septième art
du strass et des
    paillettes
sur la toile
voici encore un joli
    conte...

OBJECTIFS

- Raconter un fait divers
- Présenter une œuvre d'art
- Organiser une exposition
- Exprimer son opinion
- Exprimer ses doutes et ses certitudes
- Raconter un livre
- Participer à un débat
- Parler d'un événement futur
- Exprimer l'antériorité au futur
- Faire des projets de sorties
- Mettre en place une programmation
- Structurer son discours
- Argumenter (1)
- Faire la critique d'un film

On a volé *la Joconde* !

Compréhension orale

1 Écoutez et répondez par vrai ou faux.

a. En 1994, un tableau du copiste américain Ken Perenyi a été vendu à Sotheby's.
❏ Vrai ❏ Faux

b. Le copiste a été jugé pour son activité de faussaire.
❏ Vrai ❏ Faux

c. Le faussaire ne fait que des copies de peintres connus.
❏ Vrai ❏ Faux

d. Ken Perenyi révèle ses secrets dans un livre.
❏ Vrai ❏ Faux

2 Écoutez à nouveau et répondez aux questions.

a. De quelle manière le copiste vend-il ses tableaux aujourd'hui ?

....

b. À combien sont estimés ses faux officiels ?

....

c. Quels sont les secrets dont il parle dans son livre ?

....

d. Pourquoi le prix de ses toiles augmente ?

....

Vocabulaire

3 Entourez le mot qui convient.

a. Ce tableau de maître a une valeur *audacieuse / inestimable / malhonnête*.

b. Le faussaire a été *arnaqué / accusé / trompé* par la police.

c. Le marchand d'art a *rapporté / condamné / soupçonné* le tableau qu'il avait acheté, car c'était un faux.

d. Ce fait divers a *immortalisé / contribué à / imité* la popularité de cet artiste.

e. Le collectionneur a promis *un scandale / une récompense / une affaire* à celui qui retrouverait son tableau.

f. Cette statue monumentale *célèbre / choque / arnaque* beaucoup de visiteurs.

4 Associez, comme dans l'exemple.

Les nombreux visiteurs du musée d'Art moderne •

Cette série de vols spectaculaires •

Les collectionneurs d'art •

Les œuvres volées •

L'exposition qui a lieu au musée d'Orsay •

Le vitrier qui travaillait au Louvre •

• est dédiée au célèbre peintre Eugène Boudin.

• trompaient leurs amis avec des faux.

• est devenu un véritable héros en Italie.

• *font la queue depuis deux heures.*

• ont été retrouvées chez le marchand d'art.

• a provoqué une vive indignation dans les milieux artistiques.

5 Écoutez et complétez les phrases.

a. Cet artiste, qui .... de grands maîtres, organise une exposition .... aux paysages.

b. Il .... un artiste exceptionnel .... beaucoup de collectionneurs.

c. Il .... par .... qui lui a vendu une simple copie.

d. Cette .... a lieu .... festival des Arts de rue.

e. Le voleur .... son acte en disant qu'il était .... tableaux du xixᵉ siècle.

f. Un grand nombre de ...., dans cette ville, ... des personnages historiques.

Phonétique

6 Écoutez et dites combien de fois vous entendez le son [R].

a.	3
b.	
c.	
d.	
e.	
f.	

7 Écoutez à nouveau, puis notez les mots contenant le son [R].

....

....

....

....

....

....

Grammaire

8 Transformez les phrases suivantes à la forme passive.

a. La police a arrêté le marchand d'art malhonnête.

....

b. Un passant a retrouvé un tableau d'une grande valeur dans un jardin public.

....

c. Le juge a condamné le voleur à trois ans de prison.

....

d. Comme on n'avait pas de preuves, on a libéré le suspect.

....

e. Le directeur de l'exposition a intégré la statue à la collection du musée.

....

f. Cette œuvre d'art choque beaucoup de gens.

....

g. Le directeur ouvrira à nouveau le musée la semaine prochaine.

....

h. Ce maître exploitait ses élèves et vendait leurs toiles à un prix très élevé.

....

9 **Réécrivez ce dialogue en mettant les réponses du policier à la forme passive, comme dans l'exemple.**

Exemple : La journaliste : Quand le vol a-t-il eu lieu ?
Le policier : Des passants ont vu les voleurs vers 2 heures du matin. → *Les voleurs ont été vus vers 2 heures du matin.*

a. La journaliste : Comment ont-ils fait pour entrer dans la maison ?

Le policier : Ils ont utilisé la clé. → ....

b. La journaliste : Comment cela est-il possible ?

Le policier : La victime avait déclaré le vol de ses clés deux jours avant. → ....

c. La journaliste : Où se trouvaient les tableaux ?

Le policier : Le collectionneur avait caché les toiles dans sa cave. → ....

d. La journaliste : Les voleurs ont trouvé les tableaux ?

Le policier : Ils ont trouvé trois toiles de maître et ils les ont emportées. → ....

e. La journaliste : À combien estime-t-on ces toiles ?

Le policier : Le collectionneur estime les toiles à 200 000 euros. → ....

f. La journaliste : J'imagine qu'il avait une bonne assurance ?

Le policier : Oui, il avait signé un contrat d'assurance peu de temps avant. → ....

g. La journaliste : Vous avez des informations sur les voleurs ?

Le policier : Nous avons retrouvé des cheveux. → ....

h. La journaliste : Vous avez arrêté quelqu'un ?

Le policier : Non, nous n'avons encore arrêté personne. → ....

10 **Transformez les phrases suivantes selon l'exemple.**

Exemple : On a organisé une exposition pour l'ouverture du festival. → *Une exposition a été organisée pour l'ouverture du festival.*

a. On a volé la statue de l'hôtel de ville. → ....

b. On soupçonne le banquier d'avoir donné la clé aux voleurs. → ....

c. On a rapporté les œuvres au musée la nuit suivante. → ....

d. On a récompensé l'artiste pour son immense talent. → ....

e. On libèrera les suspects d'ici quelques heures. → ....

f. On avait dédié cette sculpture à la liberté de la presse. → ....

g. On a finalement jugé le faussaire. → ....

Production écrite

11 **Vous êtes journaliste et vous écrivez un article sur le peintre faussaire américain Ken Perenyi à l'occasion de la sortie de son livre dans lequel il raconte son histoire.**

Vous évoquez le parcours de cet artiste, en vous aidant des informations des exercices 1 et 2 et de la transcription dans le livret.

....

....

....

....

Plaisir de lire

Compréhension orale

1 Écoutez et cochez la bonne réponse.

a. La première personne interrogée considère que la rentrée littéraire :
❏ ne s'intéresse qu'aux nouveaux auteurs.
❏ est quelque chose de nouveau.
❏ est une occasion de se faire plaisir.

b. La deuxième personne interrogée :
❏ ne lit pas de romans.
❏ a perdu le goût de la lecture.
❏ était libraire.

c. La troisième personne interrogée dit :
❏ que Liebniz est à l'origine de la rentrée littéraire.
❏ que Liebniz pensait déjà que la multiplication des livres était un danger.
❏ qu'il y a trop de mauvais livres.

d. La quatrième personne interrogée :
❏ évoque les prix littéraires.
❏ préfère les bandes dessinées.
❏ considère qu'il y a trop de prix littéraires.

2 Écoutez à nouveau et répondez aux questions.

a. Expliquez ce qu'est la rentrée littéraire.

....

....

b. Quel reproche fait-on souvent à la rentrée littéraire ?

....

c. D'après le journaliste, pourquoi est-il impossible de rater un bon livre ?

....

....

Vocabulaire

3 Associez une expression et sa définition.

a. Une critique élogieuse •   • **1.** qui utilise sa raison

b. Une histoire traumatisante •   • **2.** qui n'est pas très profonde

c. Un roman contemporain •   • **3.** qui choque et impressionne

d. Un personnage rationnel •   • **4.** qui dit des choses très positives

e. Une réflexion superficielle •   • **5.** qui appartient à notre époque

4 Barrez l'intrus dans chaque série de mots.

a. une bibliothèque – la lecture – un notable

b. un conte – un roman – un besoin

c. classique – humilié – contemporain

d. considérer – se distraire – se faire plaisir

e. un personnage – un lien – une intrigue

f. une émotion – la modernité – la tradition

5 Écoutez et complétez les phrases. ◉

a. Il aime .... dans la lecture, et il apprécie particulièrement ....

b. Ce livre a reçu une excellente ...., même si .... sont peu sympathiques.

c. Je trouve que le film .... du livre, il est trop ....

d. La lecture ...., j'ai d'ailleurs rencontré mon mari sur un .... !

e. Il dit être quelqu'un de ...., mais moi je pense qu'il est souvent guidé par ses .... !

f. On ne peut pas passer son temps à ...., c'est aussi important de savoir ....

Phonétique

6 Écoutez et dites si vous entendez [w] ou [ɥ]. ◉

	[w]	[ɥ]
a.	X	
b.		
c.		
d.		
e.		
f.		

7 Écoutez à nouveau et complétez avec la bonne graphie.

a. L..........s va aimer ce livre.

b. Il a passé la n..........t à lire.

c. Nous sommes pers..........dés que la critique sera bonne.

d. C'est une invitation au v..........age !

e. Je n'arrive pas à s..........vre !

f. C'est une belle hist..........re.

Grammaire

8 Indicatif ou subjonctif ? Conjuguez au temps qui convient.

a. Je ne pense pas qu'il ......*puisse*...... (*pouvoir*) gagner un prix littéraire.

b. Il considère que son dernier roman ......*est*...... (*être*) meilleur que l'autre.

c. Je ne suis pas sûr qu'elle ......*lise*...... (*lire*) tous les livres que je lui offre.

d. Il est évident que la lecture ......*doit*...... (*devoir*) être un plaisir à partager.

e. Ils ne sont pas persuadés que cela ......*fassent*...... (*faire*) travailler l'imagination.

f. Il me semble que cette intrigue ......*s'inspire* (*I*)...... (*s'inspirer*) d'une histoire vraie.

g. Je ne crois pas qu'elle ......*comprenne*...... (*comprendre*) toutes ces critiques négatives.

h. Croyez-vous qu'il ......*fasse sache*...... (*savoir*) faire la différence entre un bon et un mauvais roman ?

9 Posez la question comme dans l'exemple.

Exemple : Je pense que les gens font confiance à leur libraire.
→ Pensez-vous que les gens fassent confiance à leur libraire ?

a. Je trouve que c'est pratique de lire sur une tablette.

→ ....

b. Je pense qu'il ne lit que des romans classiques.

→ ....

c. Je crois qu'il peut vous aider à organiser cette rencontre littéraire.

→ ....

d. Je considère que ce livre nous permet de mieux comprendre l'histoire de ce pays.

→ ....

e. Je pense qu'ils savent déjà quel auteur va obtenir le prix.

→ ....

f. Je crois qu'il choisit avec beaucoup d'attention les livres qu'il offre.

→ ....

g. Je pense que cette bibliothèque a tous les titres que vous cherchez.

→ ....

h. Je suis convaincu que ce roman d'amour est le grand roman de la rentrée !

→ ....

10 Encadrez la forme verbale correcte.

a. Je pense qu'elle *n'a / ait* pas assez de patience pour lire ce gros livre.

b. Je ne suis vraiment pas sûr qu'il *vient / vienne* nous présenter son nouveau polar.

c. Nous sommes convaincus que vous *pouvez / puissiez* nous donner de bons conseils de lecture.

d. Vous n'êtes pas sûrs que le film *est / soit* à la hauteur du roman.

e. Il est évident que tu ne *connais / connaisses* pas la fin de l'histoire.

f. Il me semble que la fête du livre *a / ait* lieu ce vendredi.

g. Il ne croit pas qu'il *faut / faille* absolument lire des romans classiques.

h. Pensez-vous qu'elle *sait / sache* lire ?

Production écrite

11 Un(e) ami(e) vous demande des conseils de lecture pour l'été.

Vous lui donnez deux ou trois titres de livres que vous avez aimés et vous en faites une petite critique pour lui/elle.

....

....

....

....

....

....

Toute la musique que j'aime

Compréhension orale

1 Écoutez et cochez la bonne réponse.

a. Vincent et Antoine sont :
- ❑ des artistes des années 80.
- ❑ des producteurs de cinéma.
- ❑ des fans de musique des années 80.

b. Des sosies sont :
- ❑ des chanteurs populaires.
- ❑ des personnes qui ressemblent beaucoup à d'autres personnes.
- ❑ des stars capricieuses.

c. *Stars 80* est :
- ❑ un film inspiré d'une histoire vraie.
- ❑ le nom d'un groupe de rock.
- ❑ le nom de la société de spectacle.

d. Le succès de ces chanteurs des années 80 est lié à :
- ❑ leur immense talent.
- ❑ leur tournée en province.
- ❑ leur capacité à faire revivre des souvenirs.

2 Écoutez à nouveau et répondez aux questions.

a. Quelle idée géniale ont Vincent et Antoine pour sauver leur société de spectacle ?

....

b. Où a lieu le concert où ces chanteurs connaissent finalement un grand succès ?

....

c. Qu'est-ce qui caractérise les tubes de Jeanne Mas, Jean-Luc Lahaye ou Desireless ?

....

Vocabulaire

3 Associez, comme dans l'exemple.

3 **a.** *Le chanteur de ce groupe*
1 **b.** Tous les fans
6 **c.** Ce tube des années 80
2 **d.** Ce festival de musique latine
4 **e.** De grands artistes talentueux
5 **f.** Ces jeunes musiciens

1. ont applaudi les artistes sur scène.
2. se déroulera au début du mois de juillet.
3. *a enregistré son album à Berlin.*
4. ont soutenu ces jeunes chanteurs.
5. ont déjà une grande notoriété.
6. a une mélodie entraînante.

4 Complétez avec les expressions suivantes :

la tournée - morceaux - éclectique - mélancoliques - primé - gagné la sympathie - album - couronné de succès - remporté - talentueux - les paroles - programmation - collaboration.

a. Cet artiste a été _couronné de succès_ suite à _la tournée_ qu'il a faite dans le monde entier.

b. Ce fan connaît _~~retenue~~ les paroles_ de toutes les chansons.

c. Cette chanteuse a _~~couronné de succès~~ remporté_ un prix pour le dernier _album ~~collaboration~~_ qu'elle a écrit en _collaboration_ avec son père.

d. Je préfère danser sur des _morceaux_ entraînants, alors qu'elle aime les ballades _mélancoliques_

e. La _programmation_ de ce festival était _éclectique_ et a ouvert des portes à de jeunes artistes peu connus mais très _talentueux_.

f. Ce duo africain a été _~~éclectique~~ primé_ et a _gagné la sympathie_ d'un large public.

5 Barrez l'intrus dans chaque série.

a. un morceau – un tube – ~~une collaboration~~

b. une scène – ~~une programmation~~ – les paroles

c. ~~ancré~~ - dansant – entraînant

d. un refrain – ~~un artiste~~ – une mélodie

e. doux – mélodieux – ~~aveugle~~

f. soutenir – ~~se dérouler~~ – influencer

Phonétique

6 Écoutez et notez les enchaînements consonantiques.

a. Ils dirigent une petite société.

b. Les deux producteurs partent alors à la recherche des chanteurs.

c. Ils vont d'abord en province.

d. Ils organisent un concert au Stade de France.

e. Face à leur succès, ils décident de faire une tournée.

f. Ce film raconte leur aventure.

7 Liaison ou enchaînement consonantique ? Cochez la bonne réponse.

	Liaison	Enchaînement
a.	X	
b.		
c.		
d.		
e.		

Grammaire

8 Mettez les verbes entre parenthèses au futur antérieur.

a. Vous _aurez reçu_ (*recevoir*) les billets avant demain.

b. Nous _serons sortis_ (*sortir*) avant qu'elle n'arrive.

c. Le groupe _aura fini_ (*finir*) sa tournée la semaine prochaine.

d. Ils nous préviendront quand ils _auront choisi_ (*choisir*) le programme.

e. Elle fera un concert dès qu'elle _aura enregistré_ (*enregistrer*) son disque.

f. Je ferai une sélection quand j' _aurai écouté_ (*écouter*) tout l'album.

g. Appelle-moi dès que tu _seras arrivé_ (*arriver*).

h. Quand vous _aurez rencontré_ (*rencontrer*) le producteur, vous me parlerez de votre projet.

9 Faites une seule phrase avec les deux, comme dans l'exemple.

Exemple : Il rentrera. J'irai lui parler. → J'irai lui parler quand il sera rentré.

a. Il terminera son travail. Nous irons dîner ensemble.

....

b. Il réfléchira à ma proposition. Nous discuterons d'une possible collaboration.

....

c. Vous achèterez les billets. Vous nous enverrez la facture.

....

d. La pluie s'arrêtera. Le concert pourra reprendre.

....

e. Les invités arriveront. Tu pourras faire ton discours.

....

f. Nous écouterons sa nouvelle chanson. Nous te dirons ce que nous en pensons.

....

10 Futur simple ou futur antérieur ? Conjuguez au temps qui convient.

a. Je t'.. (*envoyer*) un courriel dès que Stéphane (*réserver*) .... le restaurant.
b. Vous me .... (*rendre*) mon disque une fois que vous l'................................ (*écouter*).
c. Quand nous .... (*décider*) quel groupe aller voir en concert, nous .... (*prendre*) les billets.
d. Il y .... (*avoir*) moins de monde quand les artistes .... (*quitter*) la salle de concert.
e. Vous .... (*faire*) un concert quand vous .... (*apprendre*) à chanter.
f. Tu .... (*se reposer*) dès qu'on .... (*rentrer*) à la maison.

Production écrite

11 Vous organisez une fête surprise pour l'anniversaire d'un de vos amis.

Vous écrivez un courriel aux gens que vous souhaitez inviter et vous leur expliquez les détails de votre organisation (date, heure, différentes étapes de l'organisation, spectacle...).

....

....

....

....

....

....

Sur grand écran

Compréhension orale

1 Écoutez et cochez la bonne réponse. ◉

a. *Intouchables* raconte une histoire triste. ❏
    Ce film est une comédie de grande qualité. ❏
    Les acteurs manquent un peu de subtilité. ❏

b. C'est l'histoire d'une belle amitié. ❏
    Philippe est une victime sociale. ❏
    La rencontre des deux personnages crée des problèmes. ❏

c. Le film a connu le même succès aux États-Unis. ❏
    Selon la presse américaine, il y a beaucoup de clichés. ❏
    Les spectateurs ont trouvé que le film était raciste. ❏

2 Écoutez à nouveau et répondez aux questions.

a. Dites ce qui oppose les deux personnages du film, Philippe et Driss.

....

b. Quelle récompense a obtenue Omar Sy ?

....

c. Comment le public américain a-t-il accueilli *Intouchables* ?

....

Vocabulaire

3 Associez le mot et sa définition.

a. *Un lauréat*   •   • Se dit d'un événement dont on parle beaucoup à la radio, à la télévision.

b. Médiatisé   •   • C'est un débat dans lequel les personnes expriment leur désaccord.

c. Une vedette   •   • C'est une manière de désigner le cinéma.

d. Une polémique   •   • C'est la présentation d'un film.

another way to say cinéma
e. Le septième art   •   • *C'est quelqu'un qui gagne un prix.*

f. Une bande-annonce   •   • C'est l'action de reproduire, consulter un bien culturel de manière illégale.

g. Le piratage   •   • C'est une personne qui acquiert une renommée.

4 Entourez l'expression qui convient, comme dans l'exemple.

a. (La fréquentation des salles)
La mutation   n'a pas baissé.
Le jury du festival

b. Le président du festival   a attribué
                            a récompensé   la distinction suprême au réalisateur.
                            a attiré

c. Les spectateurs ont été   défilés
                         présidés   par ce film.
                         bouleversés

d. Les professionnels du cinéma se sont mobilisés contre   les longs-métrages.
                                                   le piratage des films.
                                                   la culture numérique.

e. Ce film à succès   a attiré
                 a obtenu   beaucoup de gens dans les salles.
                 a confié

f. Quand on obtient cette prestigieuse récompense, c'est   la polémique
                                         la vedette   assurée.
                                       la gloire

5 Complétez le texte avec les mots suivants :

les vedettes – décerne - dramatiques – longs-métrages – reprochent – récompensées – les scénarios – la montée des marches.

Quand nous sommes arrivés à Cannes, nous avons vu toutes .... qui avaient été ....

Nous avons assisté à la cérémonie de .... et nous avons admiré les beaux acteurs marchant sur le tapis rouge. Nous avons ensuite vu

plusieurs ...., beaucoup de films .... Il est vrai que les journalistes ....

parfois à ce festival de ne présenter que des films tristes et sombres, mais pourtant, ...sont souvent d'une grande qualité,

et quand le jury .... un prix, il est souvent bien mérité !

Phonétique

6 Écoutez. Combien de fois entendez-vous le son [œ] ? ◉

a.	2
b.	
c.	
d.	
e.	
f.	
g.	

7 Écoutez à nouveau et écrivez les mots contenant le son [œ].

....
....
....
....
....
....

Grammaire

8 Complétez avec *d'ailleurs* ou *par ailleurs*.

a. J'ai trouvé ce film puissant et d'une grande beauté. .... il a obtenu un Oscar.

b. La semaine prochaine, la ville organise un festival de cinéma. ...., plusieurs galeries d'art ouvriront leurs portes.

c. Il ne s'intéresse pas au cinéma. ...., il n'a pas voulu des tickets gratuits que tu lui as proposés.

d. Je collectionne les affiches de cinéma. .... je peux vous les montrer si vous voulez ?

9 Complétez avec *en fait* ou *en effet*.

a. C'est une grande actrice. Elle joue .... avec beaucoup de subtilité.

b. Ce film n'était pas fait pour lui, trop dramatique. ...., il est meilleur dans des rôles comiques.

c. On pense que les gens vont moins au cinéma, ..., les salles sont plutôt bien remplies.

d. La presse avait dit qu'il gagnerait l'Oscar, et ...., il a obtenu la distinction suprême.

e. Il pensait qu'on lui décernerait un prix, ..., c'est son ami qui l'a obtenu.

Production écrite

10 Vous écrivez une critique du dernier film que vous avez vu.

Structurez votre texte à l'aide des mots du discours : *d'ailleurs - par ailleurs - en effet - pourtant - alors que - donc - enfin.*

....
....
....
....
....
....
....

Civilisation

Une musique française qui s'exporte

1 **Connaissez-vous Daft Punk, Phoenix et David Guetta ?**

À votre avis, qu'ont-ils en commun ?

....

....

....

2 **Avez-vous entendu parler de la _French touch_ ?
Imaginez ce que cela désigne.**

....

....

....

3 **Lisez le texte et répondez aux questions.**

À la fin des années 1990, Daft Punk, Cassius et Air se mettent à produire des morceaux de musique électronique qui deviennent des succès internationaux. Et ce qu'on a appelé l'électro à la française n'est pas qu'un simple phénomène de mode puisque, aujourd'hui encore, ces musiciens français continuent de rassembler les foules. Pour preuve, à Coachella , l'un des plus grands festivals de musique au monde, dans le désert californien, le groupe Phoenix a tenu le haut de l'affiche. Après quatre albums et plusieurs récompenses internationales, ces Versaillais ont conquis l'Amérique. Même exploit pour Justice, duo 100 % français, qui lors de sa dernière tournée mondiale a réuni un total de 1,5 million de fans.

Mais qu'a-t-elle donc de plus, cette _French touch_, dont la notoriété mondiale est aujourd'hui indiscutable ? La mondialisation et Internet a pour effet d'uniformiser les goûts, d'un bout à l'autre de la planète. La force de cette génération de musiciens trentenaires est d'être issue de cette culture numérique, et de puiser leur inspiration dans des références communes et globalisées, toutes nées dans la culture nord-américaine. Par exemple, le musicien Kavinsky, révélé au monde par l'une de ses chansons « Nightcall » dans le film _Drive_, ancre l'atmosphère de sa musique à Los Angeles. Facile à identifier et à comprendre, car les chanteurs français chantent en anglais, cette _French touch_ est complètement intégrée à la culture mondiale. C'est donc une erreur d'associer leur popularité à un exotisme européen ou même français. L'immense majorité des fans américains ne savent d'ailleurs même pas que M83 ou David Guetta sont français. Ce qui est intéressant, et source de fierté, c'est que cette musique est produite par des maisons de disques françaises, échappant ainsi à la domination des trois plus gros labels qui se partagent près de 80 % du marché mondial du disque.

a. Expliquez les caractéristiques de la _French touch_.

....

....

b. Relevez dans le texte les groupes qui sont nommés.

....

c. Connaissez-vous d'autres groupes français ? Lesquels ?

....

....

Comment vous sentez-vous ?

Vocabulaire

• Des noms

une allergie
un anticancéreux
l'anxiété
une aspirine
le bien-être
un bienfait
un biscuit
un canton
une commune
la concentration
une consultation
le corps
une courbature
le diabète
un diagnostic
le dos
une échelle
l'efficacité
l'énergie
l'énervement
l'état
la fatigue
une ferme
un fondateur / une
  fondatrice
la forme
un (médecin)
  généraliste
la grippe
une (mauvaise)
  habitude
l'homéopathie
un horaire
une idée reçue
un industriel / une
  industrielle
une maladie cardio-
  vasculaire
le marché
un médecin
la méditation

un moine
la nutrition
une ordonnance
une pastille
un(e) patient(e)
le personnel
une pharmacie
un pneumologue
du pollen
un praticien / une
  praticienne
une prescription
la prévention
la prise (de
  médicaments)
un remède
le rythme cardiaque
un(e) salarié(e)
une salle d'attente
la sérénité
une / la sieste
du sirop
un sofa
un(e) spécialiste
un suppositoire
la tension (artérielle)
un thermomètre
un traitement
les troubles du sommeil
une urgence

• Des adjectifs

attentif / attentive
bon marché
dédié (e) à / au
élevé(e)
gras/grasse
hospitalier / hospitalière
être rassuré(e)
solide

• Des verbes

améliorer

ajouter
angoisser / s'angoisser
appartenir
ausculter
avoir l'impression de...
  / que ...
se brosser les dents
consommer
consulter
contrôler
se défendre de quelque
  chose
se détendre
effacer
éloigner
guérir
localiser
masser
mettre en cause / être
  mis en cause
mettre / être en
  observation
palper
se passer de...
participer à...
prescrire (des
  médicaments)
se recentrer sur soi
rédiger (une
  ordonnance)
régler (un appareil)
respirer
ressentir
sauver la vie de
  quelqu'un
soigner / se soigner
surprendre
tâcher de...
tirer la langue
tousser
tracasser /se tracasser

• Des mots
invariables

absolument
à disposition de...
du côté de...
en cas d'urgence
à la rigueur

• Manières de dire

au lieu de
Bon !
Ça marche !
Ça se peut bien.
Ça vous dit quelque
  chose ?
(c'est) un moment
  magique
(c'est) un pur instant
  de bonheur
du jour au lendemain
être accro (familier)
une explosion de ...
les gestes à faire en cas
  d'urgence
il fallait absolument
  que ...
il manquait (+ un nom)
il ne vous reste plus
  qu'à (+ verbe)
j'aimerais autant
Je faisais ça pour t'aider.
tomber à la renverse
Tu ne vois pas que ...
Va plutôt me chercher
  (+ quelque chose)
Vous vous rendez
  compte !
selon (moi, toi, lui, elle,
  nous, vous, eux)
Vous ne direz pas que...

OBJECTIFS

- Décrire des problèmes de santé
- Exprimer une condition
- Faire des recommandations
- Parler de son passé médical
- Rapporter les paroles de quelqu'un (2),
  ses propres pensées, ses propres
  interrogations
- Décrire des applications smartphone
  pour la santé
- Interroger sur la santé
- Expliquer des raisons (2)
- Expliquer sa colère
- Exprimer une information incertaine
- Exprimer ses sensations
- Exprimer une antériorité
- Décrire une affiche publicitaire

La consultation chez le médecin

Compréhension orale

1 Écoutez et répondez par vrai ou faux.

Dans ce document :

a. On parle de la profession de médecin.   ❏ Vrai ❏ Faux

b. On parle des médecins qui vont soigner les malades chez eux.   ❏ Vrai ❏ Faux

c. On dit que les médecins gagnent beaucoup trop d'argent.   ❏ Vrai ❏ Faux

2 Écoutez encore une fois et répondez aux questions.

a. Où travaille le docteur Varol ?

....

b. Pourquoi le docteur tutoie Monsieur Lepic ?

....

c. Est-ce que le docteur Varol ne parle que de médecine pendant les consultations ?

....

d. Combien coûte une consultation chez le médecin ? Et une consultation à domicile en journée ?

....

e. Pourquoi les consultations à domicile sont-elles plus chères ?

....

f. Que pense le docteur Varol des prix des consultations ? Pourquoi ?

....

g. Le prix des consultations à domicile n'est pas toujours le même. Expliquez.

....

h. Comme l'Assurance maladie rembourse 70 % moins 1 euro, combien coûtent les consultations à domicile si le malade ne voit pas le médecin en journée ?

....

Vocabulaire

3 Associez les mots qui vont ensemble, comme dans l'exemple.

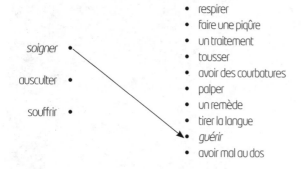

- respirer
- faire une piqûre
- un traitement
- tousser
- avoir des courbatures
- palper
- un remède
- tirer la langue
- *guérir*
- avoir mal au dos

soigner •

ausculter •

souffrir •

4 Écoutez. Qui parle : le médecin ou le malade ?

	Le médecin	Le malade
a.		
b.		
c.		
d.		
e.		
f.		
g.		

5 Écoutez et complétez.

a. La .... a coûté 32 euros

parce que le .... est venu chez moi.

b. Madame Berger ! ....

de votre .... ! Vous ne pouvez plus

continuer comme ça !

c. Tout allait bien et .... je me suis sentie très fatiguée.

d. Il faut .... quand on est malade !

Vous .... depuis combien de temps ?

e. Travailler dans une ...., c'est très dur !

Il faut vous reposer de temps en temps.

f. Ce médecin travaille dans la .... depuis 30 ans.

Phonétique

6 Écoutez. Ces phrases sont-elles interrogatives ou exclamatives ?

	Phrases interrogatives	Phrases exclamatives
Exemple	X	
a.		
b.		
c.		
d.		
e.		
f.		

7 Écoutez. Qu'expriment ces phrases exclamatives ?

	Le contentement	Le regret	Le souvenir
Exemple	X		
a.			
b.			
c.			
d.			
e.			
f.			

8 Écoutez. Qu'expriment ces phrases interrogatives ?

	L'étonnement	Un sous-entendu	Une demande	Une inquiétude
Exemple	X			
a.				
b.				
c.				
d.				
e.				
f.				

Grammaire

9 **Conjuguez les verbes entre parenthèses au temps qui convient : passé composé, imparfait ou plus-que-parfait.**

– Mardi, je .... (*aller*) chez le médecin. J'... (*avoir*) rendez-vous à 9 heures.

Quand je .... (*arriver*), une douzaine de personnes .... (*attendre*). J'... (*être*)

en colère parce que j'... bien .... (*dit*) au médecin de me prendre à l'heure :

je .... (*ne pas pouvoir*) attendre deux heures.

– Petite, j'... (*avoir*) un médecin extraordinaire. Il .... (*être*) très gentil et très patient avec les enfants.

À la fin de chaque consultation, il .... (*offrir*) un petit cadeau aux enfants.

– La semaine dernière, nous .... (*retourner*) voir le docteur Bertrand. Toute la famille .... (*être*) encore malade.

Nous l'... déjà .... (*voir*) une première fois il y a deux semaines,

mais nous .... (*ne pas guérir*). Avant, quand nous .... (*aller*) le consulter,

il nous .... (*soigner*) toujours très rapidement !

Nous .... (*ne pas avoir besoin*) d'y aller deux fois !

10 **Conjuguez les verbes entre parenthèses au subjonctif.**

a. Pour que vous .... (*guérir*) vite, écoutez bien mes conseils.

b. Interdisez qu'on .... (*faire*) du bruit ! Il vous faut du calme.

c. J'aimerais autant que vous .... (*venir*) à mon cabinet, je fais très peu de visites à domicile.

d. Je veux bien être soigné, mais à condition que vous ne me .... (*ne pas faire*) de piqûre !

e. Pour que je .... (*pouvoir*) vous guérir, vous devez accepter mon traitement !

11 **Complétez les phrases avec les expressions suivantes :**

pour que – interdisez que – à condition que – j'aimerais autant que.

a. .... les gens vous rendent visite ! Ça fatigue !

b. .... vous alliez mieux, il faut bien prendre votre traitement.

c. .... vous arrêtiez le sport pour l'instant.

d. Vous pourrez reprendre le travail .... votre dos aille mieux.

e. Je vous mets en observation quelques jours .... nous trouvions quel est le problème.

f. Tu recommenceras le sport, ... le médecin accepte !

Production écrite

12 **Aujourd'hui, en France, les consultations médicales peuvent se faire sur Internet (avec une webcam).**

Le but : éviter aux personnes qui vivent à la campagne de faire 50 kilomètres pour aller chez le médecin et leur permettre d'avoir une consultation plus rapidement. Les ordonnances sont envoyées par courriel ou par courrier. Le prix est le même qu'une consultation chez le médecin (22 euros).

Qu'en pensez-vous ? Quels sont, selon vous, les avantages et les inconvénients de la téléconsultation ?

....

....

LEÇON 14

Les nouvelles technologies

Compréhension orale

1 Écoutez et répondez par vrai ou faux. ◉

a. Ce document parle d'une enquête réalisée aux États-Unis.
  ❏ Vrai ❏ Faux

b. L'enquête concerne les personnes qui ont des problèmes de poids.
  ❏ Vrai ❏ Faux

c. Utiliser Twitter fait grossir.
  ❏ Vrai ❏ Faux

2 Écoutez encore une fois et répondez aux questions.

a. Sur les 3 014 personnes interrogées, combien s'aident d'un outil technologique pour faire attention à leur santé ?
....

b. Pourquoi utilisent-elles ces outils ?
....

c. Pour perdre du poids, qu'est-ce qui est le plus efficace ?
....

d. Quel était le programme commun aux deux groupes qui ont participé à l'étude ?
....

e. Quelle était la différence entre les deux groupes qui ont participé à l'étude ?
....

f. Quel est le résultat de cette étude ?
....

g. Comment les chercheurs expliquent-ils ce résultat ?
....

h. On voit les résultats sur le poids :
  ❏ au début du programme.   ❏ au milieu du programme.   ❏ à la fin du programme.

i. Combien de tweets a postés la personne la plus active ? En combien de temps ?
....

Vocabulaire

3 Écoutez et complétez avec les noms de maladies. ◉

a. Je ne pourrai pas venir demain, j'ai la .... Je suis au lit avec 40 de fièvre !

b. Pour éviter les..., il ne faut pas fumer et ne pas manger trop de sel.

c. En faisant du sport et en évitant le stress, on peut faire baisser sa ....

d. On dit que les fruits et les légumes aident à lutter contre le ....

e. Chaque printemps, je souffre d' .... au ....

4 Complétez avec les verbes suivants :

contrôler – sauver – angoisser – mesurer – m'inquiéter – localiser.

a. Il a une nouvelle application qui va lui permettre de .... son rythme cardiaque. Comme ça, il pourra consulter rapidement un médecin s'il y a un problème.

b. C'est vraiment très utile, avec cette application, on peut .... la vie de quelqu'un.

c. J'ai réussi à .... la pharmacie la plus proche !

d. Pour ne plus .... , j'ai installé une application qui me permet de .... mon diabète régulièrement.

e. Je sais que je suis stressé de nature. Mais .... c'est prendre moins de risques ! Je m'informe et donc j'évite les catastrophes !

5 De quoi on parle ? Associez, comme dans l'exemple.

a. *Une salle d'attente* •

b. La santé mobile / la m-santé •

c. La forme •

d. La nutrition •

e. Les gestes à faire en cas d'urgence •

f. Une idée reçue •

g. L'efficacité (d'un médicament) •

h. La pharmacie •

• **1.** Ce sont les actions qu'on doit faire quand une personne est en danger.

• **2.** C'est ce que les gens pensent généralement, mais ce n'est pas toujours vrai.

• **3.** *C'est le lieu où on patiente avant de voir le médecin.*

• **4.** C'est la bonne santé, l'énergie.

• **5.** C'est le lieu où on achète les médicaments.

• **6.** Quand ça marche très bien.

• **7.** C'est l'ensemble des services pour la santé, disponibles sur smartphone (ou tablette).

• **8.** C'est une science qui s'intéresse au corps et aux aliments dans le but de rester en bonne santé.

Phonétique

6 Écoutez et répétez.

Le son [e]	Le son [ɛ]
contrôler	les gestes
angoisser	je m'inquiète
efficacité	extraordinaire
la santé	des centaines
s'inquiéter	domaine
un médecin	connaissent
intéressant	très
l'homéopathie	la première

7 Écoutez les deux mots.

Entendez-vous d'abord le son [ɛ] ou le son [e] ?
Répondez comme dans l'exemple.

	Le son [ɛ]	Le son [e]
a.	1	2
b.		
c.		
d.		
e.		
f.		

Grammaire

8 Transformez ces phrases au discours indirect.

a. « Je télécharge toutes les nouvelles applications santé. » → Il a dit *qu'il téléchargeait toutes les nouvelles applications santé.*

b. « Nous avons découvert la m-santé il y a un mois. » → Ils ont dit *qu'ils avaient découvert la m-santé il y a un mois.*

c. « Tu pourras faire attention à ton diabète avec cette application. » → Il m'a dit *que je pourrais faire attention à mon diabète avec cette app.*

d. « Est-ce que vous pouvez m'expliquer le fonctionnement ? » → Je leur ai demandé *s'ils pouvaient m'expliquer le fonctionnement.*

e. « Quelles applications vous connaissiez déjà ? » → Nous leur avons demandé *quelles applications ils connaissaient déjà.*

f. « Installez les applications vous-mêmes ! » → Il nous a dit *d'installer les applications nous-mêmes.*

g. « J'aimerais beaucoup créer une application pour les problèmes de peau. » → Elle a dit *qu'elle aimerait beaucoup créer une app..*

h. Il va regarder les nouvelles applications qui existent. → Il a dit *qu'il allait regarder...*

9 Retrouvez les phrases dites (ou les questions posées) au discours direct, comme dans l'exemple.

Exemple : Il m'a demandé si j'avais un smartphone → « Est-ce que tu as un smartphone ? »

a. Il m'a dit d'aller chez le médecin immédiatement. → *« Allez chez le médecin immédiatement ! »*

b. Il a ajouté que je ne pourrais plus me passer de ces applications. → *« Tu ne pourras plus te passer de ces applications. »*

c. Il se demandait si ça allait être très utile. → *« Est-ce que ça allait être très utile ? »*

d. Vous avez répondu que vous n'étiez pas convaincus. → *« Nous n'étions pas convaincus. »*

e. J'ai entendu dire que cette application avait permis de sauver des vies. → ....

f. Il s'est aperçu qu'il ne connaissait rien à la m-santé. → ....

g. Elle se disait souvent qu'il fallait qu'elle installe l'application pour perdre du poids. → ....

h. Ils nous ont dit de regarder sur ce site, qu'on y trouverait des applications très intéressantes. → ....

10 Complétez avec les verbes rapporteurs suivants :

dire – ajouter – s'apercevoir – se dire – répondre – penser – ne pas savoir – demander. **Attention aux temps (passé composé ou imparfait).**

Comme je .... s'il existait une application santé pour le diabète, j'ai cherché sur Internet. Je n'ai pas trouvé. Alors, j'ai téléphoné à un ami qui a le même problème de santé que moi. Je lui .... s'il avait déjà entendu parler de cette application. Il m'.................. qu'il ne savait rien, mais que c'était une bonne chose de se renseigner. Je .... qu'il fallait que je demande à mon médecin. J'.................. qu'il me donnerait sûrement des informations. Il m'a en effet donné le nom de cette application et il .... que c'était une très bonne idée que je l'utilise. Quand je l'ai essayée, je .... que c'était vraiment utile, que ça me rassurait beaucoup. Quand j'ai rappelé mon ami et que je lui ai annoncé la bonne nouvelle, il .... qu'il était ravi de l'apprendre et qu'il me remerciait, que cette application allait sûrement lui changer la vie.

Production écrite

11 Que pensez-vous de cette étude réalisée sur Twitter pour perdre du poids ?

Selon vous, en quoi la participation à cette étude peut être positive ? En quoi peut-elle être négative ?

....

....

Consommation ou surconsommation de médicaments ?

Compréhension orale

1 Écoutez et répondez par vrai ou faux.

a. Un CHU est un Centre Hospitalier Universitaire.

❏ Vrai ❏ Faux

b. Ce reportage a été fait dans la pharmacie du CHU de Lausanne.

❏ Vrai ❏ Faux

c. L'automédication, c'est choisir, sans l'avis du médecin, ses médicaments.

❏ Vrai ❏ Faux

d. Peu de gens pratiquent l'automédication.

❏ Vrai ❏ Faux

2 Écoutez encore une fois et répondez aux questions.

a. Depuis quand les gens pratiquent l'automédication ?

....

b. Pourquoi la pratiquent-ils ?

....

c. Quels médicaments la première personne interrogée prend-elle en automédication ?

....

d. Que fait la deuxième personne interrogée si elle a des doutes sur les médicaments à prendre ?

....

e. Pourquoi l'automédication n'est-elle pas toujours une bonne chose ?

....

f. Pourquoi Nicolas a fait de l'automédication ?

....

g. Quel problème Nicolas a eu à cause de l'automédication ?

....

h. Combien de médicaments sont pris en automédication ?

....

i. Selon le professeur, pourquoi l'automédication est-elle une pratique aussi courante ?

....

j. Quel conseil donne le Professeur à propos de l'automédication ? Pourquoi ?

....

Vocabulaire

3 Associez ces mots aux images.

a. Une aspirine •

b. Un thermomètre •

c. Des pastilles •

d. Un sirop •

• 1.

• 2.

• 3.

• 4.

4 Choisissez la bonne réponse.

a. Les gens [consomment] [prescrivent] de plus en plus de médicaments.

b. Les [industriels] [praticiens] [généralistes] de la pharmacie contrôlent la qualité des médicaments.

c. Les [patients] [praticiens] hospitaliers sont les médecins ou pharmaciens qui travaillent dans un établissement public de santé.

d. Le médecin [généraliste] [hospitalier] fait des visites à domicile.

e. La [prévention] [prescription] médicale est très importante. Elle permet de prendre soin de sa santé pour ne pas être malade.

5 Complétez les phrases à l'aide des mots suivants :

accros – élevé – prescription – tracasser – habitude – mettre en cause – prescrire – bon marché.

a. Arrête de te .... ! Tu vas aller voir le médecin, il va te .... les médicaments dont tu as besoin et tout ira bien !

b. Certaines personnes sont complètement .... aux médicaments. Elles ne peuvent plus s'en passer.

c. C'est important de bien respecter la .... médicale. Sinon, ça peut être dangereux.

d. On ne peut pas .... les médecins ! Ce n'est pas leur faute si les dépenses explosent !

e. C'est une très mauvaise .... de se soigner tout seul.

f. Les prix des médicaments varient beaucoup. Il y a des médicaments dont le prix est très..................................... et d'autres qui sont très ....

Phonétique

6 Écoutez.

a. Répétez.

généraliste – jamais – toujours – aujourd'hui

chercher – cher – bon marché – les chiffres

pharmacie – les Français – en effet – attentif – se défendre – deux fois

mauvaise – prescrivent – la vente – élevée – la prévention – cardio-vasculaire

b. Classez les mots selon que vous entendez le son [ʒ], le son [ʃ], [f] ou [v].

[ʒ]	[ʃ]	[f]	[v]

Grammaire

7 Transformez les phrases, comme dans l'exemple.

Exemple : Étant donné l'augmentation du nombre de personnes qui pratiquent l'automédication, les pharmaciens doivent faire attention.
→ Étant donné que le nombre de personnes qui pratiquent l'automédication augmente, les pharmaciens doivent faire attention.

a. Étant donné l'augmentation de la consommation de médicaments, le marché de la pharmacie se porte bien.

→ ....

b. Étant donné l'explosion des dépenses, il faut agir vite.

→ ....

c. Étant donné la baisse des prescriptions de médicaments cette année, les médecins ont retrouvé une meilleure image.

→ ....

d. Étant donné l'augmentation de la fréquentation des pharmacies, pharmacien est un métier d'avenir.

→ ....

8 Transformez ces phrases extraites de courriers en utilisant le participe présent, comme dans l'exemple.

make sure subject is specified if it isn't the same

Exemple : Comme il ne savait pas quel médicament prendre, il n'en a pas pris. → Ne sachant pas quel médicament prendre, il n'en a pas pris.

a. Comme nous avons besoin d'informations supplémentaires, nous vous écrivons ce courrier.

→ *Ayant besoin d'informaitions supplémentaires, nous vous écrivons ce courrier.*

b. Comme le médecin m'a conseillé de voir un psychologue, je m'adresse à vous.

→ *Ayant conseillé de voir un*

c. Comme je ne veux pas pratiquer l'automédication, je souhaiterais avoir un rendez-vous rapide avec le médecin.

→ *Ne voulant pas pratiquer*

d. Comme je ne me souviens plus du nom du médicament dont vous m'avez parlé la dernière fois, je me permets de vous contacter.

→ ....

Production écrite

9 Êtes-vous pour ou contre l'automédication ? Expliquez.

....

....

....

La sieste, bonne pour la santé ?

Compréhension orale

1 Écoutez et répondez aux questions.

a. Combien de Français font la sieste au moins une fois par semaine ? ....

b. Qu'est-ce qu'une micro sieste ?

....

....

c. Quel autre nom donne-t-on à la micro sieste ?

....

d. Que permet-elle de retrouver ?

....

e. Pourquoi est-elle très reposante même si elle est très courte ?

....

f. Quels sont les autres avantages de la micro sieste ?

....

....

g. Quelle est la condition nécessaire pour réussir à faire une micro sieste ?

....

h. Que peut-on faire pour trouver le sommeil plus facilement ?

....

i. Dans quel type de sommeil tombe-t-on après 20 minutes de sieste ?

....

j. Pourquoi ne faut-il pas faire une sieste de plus de 20 minutes ?

....

k. Quelle est l'astuce de Salvador Dali pour ne pas dormir plus de 20 minutes ? Expliquez.

....

....

Vocabulaire

2 Écoutez et complétez.

a. J'ai besoin de voir un ....._spécialiste_..... du sommeil. Mon généraliste m'en a conseillé un.

b. J'ai fait une sieste, je suis à nouveau pleine d'....._énergie_..... pour continuer ma journée.

c. Le ....._bien-être_..... au travail est très important.

d. Le médecin lui a beaucoup parlé des ....._bienfaits_..... de la sieste.

e. Quand on sent que la ....._concentration_..... baisse, il est temps de faire une petite sieste.

f. Il y a de plus en plus de lieux ....._dédiés_..... au bien-être.

3 Complétez avec les mots suivants :

améliorer – l'énervement – masser – effacer – avoir l'impression – se détendre.

a. Faire la sieste permettrait d'éloigner ....

b. Contre le stress, ... le corps est un bon remède.

c. Pour .... le stress de la matinée, les bars à sieste vous attendent.

d. Pour .... votre efficacité au travail, n'hésitez pas à faire la sieste.

e. Pour .... d'être dans une bulle de sérénité, le bar à sieste, c'est idéal !

f. Pour ...., il n'y a pas mieux que de faire une petite sieste !

4 Quels mots correspondent à ces définitions ?

a. Médecin spécialiste des poumons : *un pneumologue*

b. Identification d'une maladie à partir de symptômes : *un diagnostic*

c. Repos après le déjeuner : *la sieste*

d. Problèmes de sommeil : *les troubles du sommeil*

e. Grande inquiétude : *l'énervement*

f. Tranquillité, calme : *la sérénité*

Phonétique

5 Écoutez et répétez. Attention aux liaisons : le son [z]. ◉

Liaison dans le groupe nominal	Liaison dans le groupe verbal	Liaison avec les prépositions
Certaines entreprises **Les** énergies **Vos** enfants * **Des** espaces dédiés au bien-être **Ces** espaces Un endroit dédié **aux** hommes	**Ils** ont remarqué **Vous** aurez de l'énergie **Nous** ignorons les bienfaits de la sieste	**Dans** un lit massant **Sous** une lampe **Chez** eux **Sans** eux

* Liaison avec les possessifs : *mes / tes / ses / nos / vos / leurs.*

6 Écoutez. ◉

Où entendez-vous la liaison (le son [z]) ? Répondez comme dans l'exemple.

	Liaison dans le groupe nominal	Liaison dans le groupe verbal	Liaison avec les prépositions
Exemple :	X		X
a.			
b.			
c.			
d.			
e.			
f.			

Grammaire

7 **Utilisez le conditionnel présent pour rendre ces informations incertaines.**

a. Se reposer permet de se recentrer sur soi.

....

b. Aujourd'hui, il y a beaucoup de bars à sieste dans Paris.

....

c. De plus en plus de personnes ressentent le besoin de faire la sieste après le déjeuner.

....

d. Le massage « percussions » ne plaît pas beaucoup parce qu'il surprend.

....

e. Dans certains bars à sieste, les diagnostics ne sont pas très justes.

....

f. Les troubles du sommeil sont le mal du siècle.

....

g. Il manque des lieux pour le bien-être dans toutes les villes.

....

h. Des chercheurs essaient de comprendre les raisons des troubles du sommeil.

....

8 **Associez. (Plusieurs réponses possibles)**

- **1.** dormi entre 10 et 20 minutes, vos batteries seront rechargées !

a. Après •
- **2.** essayé la micro sieste, il l'a conseillée à tous ses amis.

b. Après que •
- **3.** le diagnostic a été posé, on lui a expliqué le détail de la séance.

- **4.** un diagnostic de votre état de fatigue, on vous proposera un programme de détente.

c. Après avoir •
- **5.** allé quelquefois dans un bar à sieste, il est devenu accro.

d. Après être •
- **6.** votre passage dans un bar à sieste, vous vous sentirez beaucoup mieux !

- **7.** son ami lui en a parlé, il a couru tester le bar à sieste.

e. Après s'être •
- **8.** installé dans le fauteuil, il s'est endormi immédiatement.

Production écrite

9 **Vous avez tenté l'expérience d'un bar à sieste.**

Racontez comment s'est déroulée la séance, si l'expérience a été positive ou négative et pourquoi.

....

....

....

Sport gratuit sur ordonnance médicale !

1 Lisez le texte et répondez aux questions.

Strasbourg lance une expérimentation qui permettra aux patients d'accéder gratuitement à des équipements sportifs.

Les Strasbourgeois souffrant de problèmes de poids, de diabète ou de problèmes cardio-vasculaires pourront, sur présentation d'une ordonnance médicale, pratiquer gratuitement l'aviron ou l'athlétisme, ou encore se faire prêter un vélo, a annoncé la municipalité qui finance l'opération. Ce dispositif, intitulé « Sport santé sur ordonnance » et dont le coût est estimé à près de 130 000 euros, est présenté une semaine après que l'Académie de médecine a recommandé le remboursement des activités physiques et sportives par l'Assurance maladie.

L'expérimentation, d'une durée d'un an, associe cinquante médecins généralistes volontaires. Les bénéficiaires de l'ordonnance sport-santé choisiront l'activité physique la mieux adaptée à leurs besoins, en discussion avec un éducateur sportif chargé de les orienter. « Avec cette ordonnance, le patient vient voir l'éducateur détaché[1] par la mairie, qui fera une évaluation de son état de santé », a expliqué le docteur Alexandre Feltz, élu en charge de la santé à Strasbourg et initiateur[2] du projet. « Il lui remettra ensuite un ticket sport-santé lui permettant de s'inscrire gratuitement aux activités proposées », a-t-il précisé. Le maire de Strasbourg, Roland Ries, heureux de voir sa ville « pionnière[3] » en la matière, souligne qu'il ne s'agit « pas de créer une dépense supplémentaire pour la Sécurité sociale », car « l'ensemble de ces activités est prise en charge par la collectivité ».

D'après le site LePoint.fr, 5 novembre 2012.

---

1. Détaché : qui travaille provisoirement dans un autre service.
2. Initiateur : qui est à l'origine de.
3. Pionnière : la première à faire quelque chose.

a. Où le dispositif « Sport santé sur ordonnance » a-t-il été mis en place ?

....

b. Qu'est-ce que c'est exactement ?

....

....

c. Ce dispositif est-il mis en place de manière définitive ?

....

....

d. Les bénéficiaires de ce dispositif peuvent choisir le sport qu'ils veulent.

❑ Vrai   ❑ Faux

Justification : ....

e. Est-ce que ce l'Assurance maladie intervient dans le remboursement ?

2 Que pensez-vous de ce dispositif « Sport santé sur ordonnance » ?

Êtes-vous d'accord ? Expliquez.

....

....

....

....

Les voyages

Vocabulaire

• Des noms
un accueil
une animation
une baleine
une banquette
un blouson
un budget
un camp /
  un campement
un canapé
une carrière
un chameau
un climat
une communauté
une contrepartie
un coût
un couteau suisse
une croyance
une cueillette
une curiosité
un désert
le développement
une discothèque
un entrepreneur
une espèce
une étape
une expatriation
un explorateur /
  une exploratrice
une facture
une formule
un gâchis
un gîte
une gorge
un gouffre
une grève
un hébergement
une houle
un impact
une implication
une logique
un marin
un ménage

un monstre
un paiement
un palais
une pâtisserie
une paupière
une pension
un pirate
une poignée
un principe
un puits
une racine
une récolte
un regret
une répartition
un requin
le respect
une ressource
un ryad
une satisfaction
la savane
la solidarité
un stéréotype
un symbole
une tendance
une tente
un territoire
une tradition
une tribu
une variété
un(e) villageois(e)

• Des adjectifs
administratif / ive
alternatif / ive
attentif / ive
attractif / ive
audacieux /
  audacieuse
authentique
déçu(e)
disponible
doué(e)
durable

écologique
équitable
hostile
humanitaire
idiot(e)
impérial(e)
inattendu(e)
inoubliable
insolite
itinérant(e)
local(e)
montagneux /
  montagneuse
motivé(e)
occidental(e)
passionné(e)
sécurisé(e)
social(e)
solidaire
traditionnel /
  traditionnelle
virtuel / virtuelle

• Des verbes
aboutir
affronter
allier
améliorer
bouleverser
consister (à / en)
débarquer
devancer
(s') empresser de
  (+ *verbe à l'infinitif*)
(s')engager
fredonner
inverser
mélanger
obliger
(en) profiter
promettre
provoquer (quelqu'un)
rejoindre

rénover
respecter
s'assoupir
s'éloigner
se mêler
  (de quelque chose)
se soucier
  (de quelque chose
  ou de quelqu'un)
soupçonner
témoigner

• Un mot invariable
davantage

• Des manières de dire
à la carte
aller à la cueillette
  d'information
allier l'utile et l'agréable
avoir mauvaise mine
avoir soif d'aventures
le café du coin
C'est fou !
C'est la honte /
  C'est une honte
C'est plus facile à dire
  qu'à faire
Ouvre les yeux !
prendre quelque chose
  au second degré
(du) sur mesure
inverser les rôles
rendre service / rendre
  des petits services
se lier d'amitié
si je puis dire
le tourisme de masse
le train-train quotidien

OBJECTIFS

- Se décrire
- Comprendre un test et y répondre
- Raconter un événement du passé
- Exprimer des choix
- Donner des conseils
- Nuancer
- Localiser
- Proposer des solutions
- Exprimer des regrets
- Faire des reproches
- Émettre des doutes

Quel voyageur êtes-vous ?

Compréhension orale

1 Écoutez puis répondez aux questions.

a. Donnez une définition du *wwoofing*.

....

....

b. Sur quel(s) principe(s) repose ce tourisme ?

....

....

c. En quoi a consisté le travail de Camille ?

....

....

d. Dans quel pays Florence a-t-elle participé à la construction d'une maison écologique ?

....

e. Quels pays Melissa a-t-elle visités ?

....

....

Compréhension écrite

2 Lisez le texte et répondez aux questions.

Voyager autrement : le *couchsurfing*

Lorsqu'on part en voyage, une grande partie du budget est souvent consacrée à l'hébergement. Il existe pourtant de nombreux moyens, plus ou moins connus, de se loger à moindre coût, voire gratuitement, tout en partageant la vie de la population. Un voyage est aussi fait pour découvrir et partager la culture locale...

Le **couchsurfing** est une communauté créée sur Internet en 2004, qui compte déjà plus de **3 millions de membres**. C'est un terme anglais que l'on pourrait traduire par « passer d'un canapé à l'autre ».

C'est en fait un service d'hébergement qui consiste tout simplement à **proposer son canapé**, un lit d'ami, ou une chambre (il n'y a pas vraiment de règles définies), le tout gratuitement. Le but de ce nouveau genre d'hébergement n'est pas simplement de vous dépanner pour quelques nuits, mais bien de **partager et d'échanger** avec votre hôte. Les mots d'ordre du *couchsurfing* sont « rapprocher les personnes et les lieux dans le monde ; créer des échanges de savoir ; élever la conscience collective ; diffuser la tolérance et faciliter la compréhension interculturelle ».

Comment faire ? En pratique, il n'y a rien de compliqué, il faut aller sur le site, s'inscrire, puis remplir son profil. Il faut passer un peu de temps à se décrire, décrire ses envies, ses centres d'intérêt, ce que l'attend du *couchsurfing*, de ses voyages... En fait, plus on ajoute d'informations sur soi, plus on gagne en crédibilité aux yeux des **couchsurfers** (eh oui, c'est comme ça qu'on appelle les membres de la communauté !) qui auront l'impression de ne pas s'adresser à un total inconnu. Ensuite, il n'y plus qu'à entrer la **destination** voulue, choisir un membre en fonction de son lieu d'habitation, du nombre de places disponibles, de son profil et lui envoyer un message.

Le **couchsurfing** est bien sûr une communauté internationale, on peut trouver des hébergements partout dans le monde. Toutefois, les pays les plus représentés sont les États-Unis, l'Allemagne et la France. Il existe également beaucoup plus de *couchsurfers* dans les grandes villes qu'à la campagne, mais les places y sont plus recherchées.

D'après le site Agoravox.fr, 3 septembre 2011.

a. Quelle différence y a-t-il entre le *couchsurfing* et le *wwoofing* ?

....

b. Pourquoi est-il important de renseigner son profil ?

....

c. Dans quels pays les *couchsurfers* vont-ils le plus ? ....

Vocabulaire

3 Complétez ce texte publicitaire avec les mots suivants :

savane – train-train – récolte – tentes – tribu – soif – puits – insolite.

> **Vous en avez assez du** .... **quotidien ?**
>
> **Vous avez** .... **d'aventures ?**
>
> **Rejoignez-nous !**
>
> **Si vous avez envie d'un séjour** .... **,**
>
> **découvrez notre formule de voyage « écologique » !**
>
> → Participez ainsi à la .... du blé
>
> et à la cueillette des fruits avec les paysans de la région.
>
> → Vivez une expérience unique loin des hôtels 5 étoiles,
>
> sous des .... en plein cœur de la ....
>
> sauvage !
>
> → Travaillez avec les membres de la .... et construisez
>
> avec eux un .... pour les besoins quotidiens
>
> des familles.
>
> **Consultez notre site !**

Grammaire

5 Conjuguez les verbes pronominaux au passé composé.

Attention aux accords.

a. Elles ne .... (*se parler*) depuis dix ans.

Elles et leurs maris .... (*se disputer*) au sujet de la location de la maison.

b. Ils .... (*se dire*) des mots doux.

c. Nous .... (*se rencontrer*) pendant un voyage en Tanzanie.

d. Je .... (*se souvenir*) de mon expédition en Alaska en regardant de vieilles photos.

e. Il .... (*se raser*) avec son couteau suisse quand il a campé dans la savane l'été dernier.

6 À partir de ces éléments, écrivez des phrases au passé composé ou à l'imparfait, à la personne indiquée entre parenthèses.

Exemple : être jeune – vouloir être un explorateur / changer d'avis – ne pas réussir à l'école (je)
> → *Quand j'étais jeune, je voulais être explorateur. J'ai changé d'avis quand j'ai compris que je ne réussissais pas à l'école.*

a. étudiant – partir tous les ans découvrir un pays différent / trouver du travail dans une entreprise – ne plus avoir de temps libre (*nous*).

....

b. être petit – avoir peur du noir / ne plus avoir peur – faire du camping dans la brousse l'an dernier (*je*)

....

c. avoir de l'argent – tout dépenser dans les voyages / son comportement évoluer – perdre son emploi (*il*)

....

d. Faire du sport – être en peine forme / perdre du poids – commencer à fumer (*tu*)

....

e. être mariés – ne pas supporter les hôtel de luxe / se séparer – découvrir le *couchsurfing* (*ils*)

....

Phonétique

4 Écoutez. Entendez-vous le son [d] ou [t] en fin de mot ?

Entourez le mot que vous entendez.

idiot / idiote

sot / sotte

étonnant / étonnante

tes / tête

cuit / cuite

traduit / traduite

géant / géante

rond / ronde

lourd / lourde

Normand / Normande

regard / regarde

répond / répondent

on / onde

mont / monde

7 Complétez ce texte en conjuguant les verbes entre parenthèses au temps du passé qui convient.

Après la forte pluie dans la nuit, ce matin à mon réveil il .... (*ne plus pleuvoir*).

Le soleil .... (*briller*) à nouveau sur la forêt tropicale et le vent .... (*chasser*) les derniers nuages au-dessus de nos têtes.

Comme tous les vendredis , Emma .... (*devoir*) faire des courses. Alors qu'elle .... (*se mettre*) en route avec son gros sac à dos, elle .... (*voir*) qu'un animal sauvage la .... (*guetter*). C'était peut être un chat, un chien ou pire un tigre ou je ne sais quel autre animal féroce. Elle .... (*courir*) pour tenter de s'échapper, mais son pied .... (*glisser*) et elle .... (*tomber*) la tête la première dans les grandes herbes et les fleurs. Le sol .... (*être*) glissant à cause de ces pluies, mais elle .... vite .... (*se relever*) et .... (*reprendre*) sa route.

Elle ne .... (*sentir*) plus le danger. Elle .... (*se promener*) sur le marché du petit village de Maza, quand soudain elle .... (*voir*) le garçon qui lui .... (*vendre*) tous les week-ends, ce dont elle .... (*avoir*) besoin pour faire la cuisine : du pain, du poisson, mais aussi des avocats et des épices.

8 Imaginez ce qui s'est passé avant ces événements. Utilisez le plus-que-parfait.

a. L'été dernier nous sommes partis en Afrique. Nous ne voulions pas d'un séjour en hôtel, nous avons donc tout organisé nous-mêmes :

....

....

b. Hier, j'ai annulé mon billet d'avion. Je n'avais pas tout prévu :

....

....

c. Ce matin Alain ne retrouvait ni son passeport, ni son billet, ni son téléphone. Pourquoi ?

....

....

Production écrite

9 Rédigez un court texte sur la manière dont les gens vivaient dans votre ville ou votre région au début du siècle dernier.

....

....

....

....

....

....

Un voyage à la carte

Compréhension orale

1 Écoutez, puis répondez aux questions. ◉

a. Entourez la bonne réponse.

Le document parle :

• d'un type de tourisme traditionnel.

• d'une formule nouvelle de voyages.

• du salon de l'écotourisme.

b. Mettez ces éléments en relation.

- **A.** permet de contribuer au développement local.

- **B.** reste un type de voyage très apprécié.

- **C.** commence à se développer.

1. Le voyage en groupe organisé •

- **D.** créer des liens avec les populations locales.

2. Le tourisme solidaire ou citoyen •

- **E.** propose des formules « tout compris ».

- **F.** ne va pas disparaître.

- **G.** propose un maximum de visites en un temps court.

2 Écoutez une deuxième fois, puis complétez le tableau.

	Agence Mondial Tour	Agence Cocotour
Destination et activités		
Projet solidaire		

Vocabulaire

3 Complétez le texte à l'aide des mots suivants :

animations – authentique – tourisme de masse – traditionnel – déçus – discothèque – racines – sur mesure.

Ce n'est pas du .... que nous vous proposons, mais une manière plus .... de découvrir notre pays.

Vous ne serez pas .... Si vous n'aimez pas les .... et ne recherchez pas de nombreuses ....,

cette formule est pour vous. Dans un cadre ...., nous vous proposons de découvrir nos ....,

et nous vous ferons partager nos traditions. Nos guides s'adaptent à vos envies et à vos demandes : vous aurez vraiment un séjour .... !

Venez vite nous rejoindre.

Grammaire

4 Complétez les phrases avec :

avant que – jusqu'à ce que – en attendant que.

a. Il faut se dépêcher de rentrer .... la tempête de sable arrive.

b. Il faut attendre sur le chemin de randonnée .... le guide nous fasse signe.

c. Les clients resteront à l'hôtel .... la grève de la compagnie aérienne soit terminée.

d. L'hôtelier laisse une lumière allumée .... nous arrivions.

e. .... Julie confirme sa réservation, Tarik lui a donné tous les renseignements.

5 Soulignez la conjonction de temps et mettez le verbe au temps qui convient.

a. Une amie portugaise passera chez moi pendant que je .... (*être*) en stage à Paris.

b. Pendant que nous .... (*écouter*) les prévisions météorologiques, le guide se prépare.

c. Chaque fois que l'on .... (*parler*) de voyages, on a des envies différentes, mon petit ami et moi.

d. Alors que je .... (*finir*) de préparer la tente, la tempête s'est levée.

e. Au moment où il .... (*traverser*), une voiture est passée à toute vitesse.

6 Entourez l'expression qui convient.

a. Anatole a voyagé en Afrique *en* / *pendant* / *jusqu'à* 1810. *en*

b. J'ai fait le tour du monde en bateau *depuis* / *en* / *jusqu'à* 3 mois. *en*

c. Virginie veut visiter les musées *pendant* / *pour* / *dans* toutes ses vacances d'été.

d. Ils habitent à Agadir, au Maroc *dans* / *il y a* / *depuis* 2 ans.

e. Avec Internet, je vais savoir le temps qu'il fera *en* / *dans* / *depuis* les jours qui viennent.

Phonétique

7 Écoutez. ◉

Mettez une croix selon que vous entendez le son [k] ou le son [g] dans ces phrases.

	[k]	[g]
a.		
b.		
c.		
d.		
e.		
f.		
g.		
h.		
i.		
j.		

8 Écoutez. Indiquez si les deux mots sont identiques ou différents.

	Identiques	Différents
a.		
b.		
c.		
d.		
e.		
f.		

Production écrite

9 Une publicité mensongère

Vous avez réservé un gîte sur un site Internet. On vous avait annoncé « gîte traditionnel, repas chez l'habitant ».
Or, vous avez été placé(e) dans un immense hôtel et votre chambre donnait sur la discothèque.
Vous rédigez un courriel à l'agence de voyages pour exprimer votre mécontentement.

....
....
....
....
....
....

Le tourisme équitable

Compréhension orale

1 Écoutez et répondez par vrai ou faux. ◉

a. Selon Hamid Bensada, les Tunisiens sont plein de stéréotypes.

❏ Vrai ❏ Faux

b. Les touristes européens ne vont plus dans les grands hôtels.

❏ Vrai ❏ Faux

c. Pour développer l'écotourisme en Tunisie, il faut davantage communiquer.

❏ Vrai ❏ Faux

d. Les touristes d'Hamid Bensada restent dans le même hôtel.

❏ Vrai ❏ Faux

e. L'écotouriste veut découvrir la Tunisie à travers ses danses folkloriques.

❏ Vrai ❏ Faux

2 Écoutez une seconde fois. Associez, comme dans l'exemple.

a. *Il faut mettre en avant les efforts qui sont faits*

b. Cette qualité ne doit pas se limiter au niveau de la promotion

c. Pour développer l'écotourisme en Tunisie il va falloir plus communiquer

d. Qu'est-ce que ça veut dire « itinérant » ?

e. Il voudrait comprendre un peu la culture locale

1. en partageant le mode de vie des personnes qu'il voit durant son séjour.

2. sur la richesse culturelle des régions écotouristiques.

3. *dans la formation des guides écotouristiques ; leurs spécialités...*

4. Ça veut dire qui ne reste pas sur place, qui bouge, qui change d'endroit régulièrement.

5. mais doit être une réalité, attestée par certains témoignages.

Vocabulaire

3 Complétez ce dialogue avec les expressions suivantes :

c'est une honte ! - stéréotypes - respectent - plus facile à dire qu'à faire - logique - ouvre les yeux ! - alternatives - villages - gâchis.

• Anna : Tu as vu tout ce tourisme de masse dans la région ! Les gens ne .... pas l'environnement : ....
Tous ces grands hôtels, avec leurs piscines, leurs restaurants, cela va bouleverser l'écosystème, c'est certain.

• Tom : C'est un tout petit pays, il est dans une .... de développement , c'est tout. Les touristes créent des emplois aussi,
ils apportent de l'argent, ne l'oublie pas.

• Anna : Arrête un peu, tu veux ? .... À qui profite vraiment cet argent à ton avis, aux populations locales ? Il faudrait tout détruire
et prévoir une formule équitable : peu de voyageurs pour ne pas provoquer de catastrophes dans l'écosystème et une participation au développement
des ....

• Tom : Toutes ces histoires de tourisme équitable, vous êtes vraiment tous pareils, vos discours sont pleins de .... !
Tout ce que vous proposez, c'est .... !

• Anna : Non. Un jour viendra où il faudra bien changer nos manières de voyager, trouver des formules .... pour limiter
tout ce .... , tu verras.

Grammaire

4 Complétez cette lettre avec les prépositions de lieu qui conviennent.

Monsieur le responsable du personnel,

Je vous écris car je souhaiterais faire un stage équitable de deux mois .... Burkina-Faso.

Comme vous le savez, je travaille .... une entreprise internationale et il est important pour ma carrière

d'aller travailler .... l'étranger et de connaître d'autres cultures. Ceci permettrait à l'entreprise d'augmenter

sa compétitivité .... Afrique, car si notre société doit se concentrer sur la formation, ce stage lui permettra

d'améliorer sa stratégie sur le marché des énergies renouvelables, par exemple. Ce stage se déroulerait,

par ailleurs, ...le pays d'origine de nombreux salariés du groupe et me permettrait d'être plus ....

leurs besoins. Je souhaite continuer à travailler .... vous, c'est pourquoi je souhaiterais vraiment pouvoir

effectuer ce stage. La meilleure manière d'apprendre n'est-elle pas d'être .... place et me rendre compte

des réalités que vivent nos salariés dans notre pays partenaire ?

Je vous remercie.

Franck Gaudin

5 Complétez ces phrases comme dans l'exemple.

Exemple : L'ami de Marina s'est rendu (la Chine) pendant ses dernières vacances scolaires.
*→ L'ami de Marina s'est rendu **en** Chine pendant ses dernières vacances scolaires.*

a. Il est arrivé............... (*le Canada*) alors qu'il cherchait un passage vers .... (*la Chine*).

b. Nous sommes allés visiter le sud .... (*le Brésil*).

c. Durant son voyage en bateau, Marco est passé par .... (*le Cap Horn*), il est arrivé .... (*Hawaï*) et a séjourné en juillet .... (*l'Alaska*).

d. Mes voisins envisagent de se rendre .... (*Antarctique*) pour leur voyage de noces.

e. L'hôtel que nous avons réservé se situe .... Los Angeles.

f. Quand tu as visité l'Europe, tu es allé .... (*la Suisse*) ou .... (*la France*) ?

6 Mettez la préposition qui convient devant ces noms de villes ou de pays.

a. Ils sont revenus............... Danemark.

b. Il est né .... Algérie.

c. Ils ont fait leur premier voyage .... États-Unis.

d. Elle a fait ses études .... Afrique, ... Douala. Elle est arrivée .... États-Unis en 2010.

e. Ils partiront .... Paris pour arriver .... Athènes.

f. Ils sont partis camper .... Corse.

g. La France importe son café ....Brésil et .... Éthiopie.

h. Il a passé sa lune de miel .... Guadeloupe.

i. .... Espagne, ... Portugal ou ....Belgique on conduit à droite, ce n'est pas comme .... Royaume-Uni.

Phonétique

7 Écoutez et suivez les consignes.

a. Écoutez ces adjectifs et mettez une croix s'ils sont au féminin.

	Adjectifs féminins
a.	
b.	
c.	
d.	
e.	
f.	
g.	
h.	

b. Entendez-vous le son [t] ou le son [d] ?

	[t]	[d]
a.		
b.		
c.		
d.		
e.		
f.		
g.		

Production écrite

8 Écoutez et suivez la consigne.

Sur le même modèle que ce dialogue, vous demandez à un(e) ami(e) des conseils pour un voyage. Vous lui écrivez un courriel.

....

....

....

....

9 Votre ami souhaite monter son entreprise dans le tourisme équitable. Vous lui écrivez pour lui donner des conseils.

Exprimez des conseils avec les expressions suivantes : *Je te conseille de... – Je te suggère de... – Tu devrais... – À ta place, je...*
Exprimez l'obligation avec les expressions suivantes : *Il te faut... – Tu dois... – Tu devras...*

....

....

....

....

Zénith

Les grands explorateurs

Compréhension orale

1 Écoutez ce dialogue, puis répondez par vrai ou faux. ◉

a. Amir et Hélène se connaissent depuis 7 ans.

❏ Vrai ❏ Faux

b. Hélène reproche à Jaques de n'avoir toujours pensé qu'à lui.

❏ Vrai ❏ Faux

c. Amir regrette de ne pas avoir un emploi stable.

❏ Vrai ❏ Faux

d. Amir reproche à Hélène de ne pas avoir terminé son doctorat.

❏ Vrai ❏ Faux

e. Hélène reproche à Amir d'être parti au Mexique.

❏ Vrai ❏ Faux

2 Lisez ces phrases tirées de ce dialogue et dites s'il s'agit de reproche ou de regret.

	reproche	regret
a. Mes parents ne m'ont jamais bien conseillé non plus et je n'ai jamais été encouragé par les copains.		
b. J'aurais dû compter davantage sur moi-même et partir comme toi loin d'ici, mais les enfants n'auraient pas réussi.		
c. Sans doute, si j'avais été plus courageuse, j'aurais monté ma propre entreprise...		
d. J'ai en effet terminé ce doctorat, mais si j'avais su, tant d'énergie pour pas grand chose !		
e. Je lui en veux pour cela ; il n'a jamais fait un effort, il a toujours fermé les yeux sur la crise que nous traversions.		
f. Il aurait pu faire un effort quand même... quand j'y pense...		

3 Écoutez les deux dialogues, puis répondez aux questions. ◉

Vérifiez ensuite vos réponses dans le livret de transcriptions.

Dialogue 1 :
Quels sont les sentiments exprimés par Anne-Sophie et Clément ?

....

....

....

....

Dialogue 2 :
Qu'exprime de conditionnel passé dans les phrases de Tarik et d'Anne-Claire ?

....

....

....

....

4 Imaginez la suite de ces dialogues.

Dialogue 1 :

Anne-Sophie : Mes courses, tu veux dire tes courses oui, ce n'est pas moi qui invite mais toi, non ? Tu aurais quand même pu me prévenir avant...

– ....
....
....
....
....
....

Dialogue 2 :

Tarik : Oui tu sais bien qu'agent de surface, ce n'est pas ma passion, j'aurais voulu être explorateur quand j'étais petit !

– ....
....
....
....
....
....

Vocabulaire

5 Complétez le texte avec les expressions suivantes :

satisfaction – motivé – regret – affronter – carrière – hostile – doué – pas question !

J'ai fait .... dans le tourisme. Je n'ai aucun .... car j'ai vécu de bonnes expériences,

même s'il a fallu ....la concurrence qui parfois peut être très .... Pas question de s'assoupir

ou de s'endormir : dans un marché concurrentiel comme celui-ci, il faut être .... ! Je ne suis pas plus ....

qu'un autre, seulement, la motivation et le dynamisme font la différence. C'est vrai, ma réussite est un motif de .... ,

et renoncer aujourd'hui à tous mes avantages, ça, ...

Grammaire

6 Complétez ces phrases en utilisant le conditionnel passé.

Manuela fait des reproches à son ami.

a. Après une expédition mal organisée :

– L'expédition était une catastrophe, c'est nul, tu .... (*devoir*) mieux préparer ce voyage. En tout cas,

tu .... (*pouvoir*) faire des recherches sur Internet, demander conseil, je ne sais pas moi ! Nous n'en serions pas là.

Il .... (*falloir*) prendre des vêtements plus chauds pour nous protéger du froid.

b. En constatant qu'il a mal fait les valises :

– C'est fou, tu .... (*pouvoir*) au moins vérifier le contenu des valises.

Nous .... (*devoir*) emmener des vêtements chauds et pas ceux d'été !

Il .... mieux .... (*valoir*) que je m'en occupe, c'est toujours la même chose avec toi.

Je .... mieux .... (*faire*) de ne pas compter sur toi, décidément.

7 Conjuguez les verbes entre parenthèses au conditionnel passé.

– Avec le recul, quel métier .... vous (*souhaiter*) faire ?

– J' .... bien .... (*aimer*) faire quelque chose en rapport avec le tourisme, avec les voyages.

– Mais vous avez fait des études en informatique ! Comment .... – vous .... (*voir*)

votre parcours professionnel dans le tourisme ?

– Comme j' .... (*adorer*) faire un travail qui permette en même temps de voyager et de se gagner ma vie,

je .... (*inventer*) un site pour faire du tourisme virtuel, par exemple.

Oui, j' ....(*développer*) une formule nouvelle pour ceux qui n'ont pas le temps ou les moyens de partir : voyager tout en restant

à la maison.

Phonétique

8 Écoutez. Entendez-vous le son [e] ou le son [ɛ] en fin de phrase ? ◉

	[e]	[ɛ]
a.		
b.		
c.		
d.		
e.		
f.		
g.		
h.		
i.		

Production écrite

9 Parcours culturels

a. Choisissez un pays francophone dont vous aimeriez faire connaître la diversité et la richesse.

b. Définissez le type de tourisme que vous allez proposer (tourisme culturel, tourisme « bio », tourisme gastronomique, etc.)

c. Décrivez les étapes du séjour et le programme d'activités après avoir choisi le type de support (affiche, page Internet...)
   sur lequel vous allez le diffuser.

Exemple : Tourisme gastronomique en France
Région visitée : le Sud-Ouest
Support de promotion : page Internet

....

....

....

....

....

....

Civilisation

Les Français en vacances

1 Lisez le texte et répondez aux questions.

Les vacances en quelques chiffres

Durée
La durée moyenne des vacances est d'environ deux semaines. 4 Français sur 10 ne prennent qu'une semaine de congés ou moins, surtout les jeunes.

Budget
Le budget moyen est inférieur à 1 000 euros. La moitié des vacanciers envisagent de réduire le budget de leurs vacances d'été.

Dates
La concentration des départs est la plus forte en juillet-août.

Destinations
La mer reste la première destination, suivie de la campagne, la montagne et la ville. La majorité des Français restent en France. Leurs régions préférées sont la Provence-Alpes-Côte-d'Azur, le Languedoc-Roussillon et la Corse.

Hébergement
Il y a en France environ 18 000 hôtels, près de 2 000 résidences de tourisme, 8 600 terrains de campings et 70 000 à 80 000 chambres à louer.

D'après le site Ouest-France, 22 juin 2012.

a. Les jeunes partent en moyenne un mois en vacances par an.
❏ Vrai ❏ Faux ❏ On ne sait pas

b. Les Français aiment voyager à l'étranger.
❏ Vrai ❏ Faux ❏ On ne sait pas

c. Les dépenses des Français pour leurs vacances sont en hausse.
❏ Vrai ❏ Faux ❏ On ne sait pas

d. 40 % des Français partent en vacances une semaine ou moins par an.
❏ Vrai ❏ Faux ❏ On ne sait pas

e. En juillet-août, les Français préfèrent les terrains de camping.
❏ Vrai ❏ Faux ❏ On ne sait pas

2 Lisez le texte et répondez aux questions.

Où les Français partent-ils en vacances ?

Les Français partent peu à l'étranger, mais les destinations au soleil sont les plus recherchées.

Les années passées, plus de 16 millions de Français sont partis au moins une fois pour un séjour à l'étranger ou à l'outre-mer, ce qui représente environ 10 % des séjours. Une minorité, donc, d'autant plus que ce sont souvent les mêmes qui partent, puisque parmi eux chacun part en moyenne 1,5 fois par an hors des frontières. C'est dire que l'on ne croise pas forcément des Français aux quatre coins du monde. Un voyage à l'étranger dure en moyenne 7 jours, mais, bien entendu, plus on part loin plus on part longtemps.
En tête des destinations les plus aimées par les Français se trouvent l'Espagne et l'Italie, avec un quart des séjours à elles deux. En France, c'est Paris qui est la destination préférée des touristes français. La capitale est suivie par la ville de Nice, devant Porto-Vecchio, en Corse, ou encore Cannes et Biarritz. Une seule destination de montagne (les Ménuires) se classe dans les dix premières places. En effet, les Français sont plus attirés par les plages et le sable que par la montagne et la randonnée.

a. Quelles sont les destinations préférées des Français ? Pourquoi ?

....

b. Les Français voyagent-ils beaucoup à l'étranger ? Justifiez votre réponse.

....

3 Dans votre pays, quelles sont les destinations privilégiées ?

Partagez-vous ce choix ? Expliquez.

....

....

....

Vie active

Vocabulaire

• Des noms

un acquis
un(e) apprenant(e)
un apprentissage
une approche
l'autonomie
un(e) chef d'entreprise
un(e) client(e)
une compétence
un compte (en banque)
les congés
une connaissance
un conseil
une contrainte
un courriel
une crèche
un délai
une dette
un diplôme
un dispositif
le domicile
l'égalité
un(e) employé(e)
l'épargne
un équipement
l'État providence
une exigence
un formateur /
   une formatrice
une formation à la carte
   / sur mesure / en ligne
   / à distance
une fortune
le fric (familier)
un gain
une inégalité
un interlocuteur /
   une interlocutrice
du liquide (de l'argent
   liquide / payer
   en liquide)
le luxe
un métier
un module
la motivation
un niveau
une nocturne
une offre
un organisme
un outil
un parcours
   (professionnel)

une plateforme
une qualité
un recruteur
un réseau
la réussite
une / la richesse
les RTT
un souci
une spécificité
un tabou
un test d'évaluation
un trajet
le travail à temps plein /
   à temps partiel /
   à domicile
un travailleur
un tuteur
un usager
une valeur

• Des adjectifs

adapté(e)
attrayant(e)
bien payé(e)
créatif / créative
décalé(e)
décomplexé(e)
disponible
efficace
embarrassant(e)
emblématique
épanouissant(e)
express
gêné(e)
gratifiant(e)
hybride
innovant(e)
interminable
médiocre
méthodologique
mirobolant(e) (familier)
modeste
municipal(e)
pauvre
persuasif / persuasive
prodigue
puritain(e)
radin(e) (familier)
richissime
souple
suffisant(e)
vaste

• Des verbes

accéder à...
acquérir
s'adapter
alterner
aménager
assimiler
s'assurer de...
chatter
concilier
se connecter
consacrer (du temps)
convaincre
corriger
se débrouiller
dénoncer
dépenser (de l'argent)
développer
diriger
dominer
encourager
s'entraîner
s'épanouir
équilibrer
évoluer
évoquer
se former
s'habituer à...
imposer
manquer de
mentionner
mettre en valeur
motiver
s'organiser
se passer de...
prendre en compte
se prêter à (+ nom)
progresser
se prolonger
réciter
rembourser
se remettre
   en question
se rendre compte
respecter
révéler
risquer de...
sacrifier
solliciter
se soucier de...
télécharger
tenir compte de...

• Des mots invariables

à tout instant
au fait
bref
désormais
en dehors de...
et inversement
lors de...
tout à fait
toutefois
uniquement

• Des manières de dire

acheter à crédit
une capacité
   d'adaptation
C'est à vous !
C'est selon vos
   disponibilités.
un échange de bonnes
   pratiques
entre midi et deux
   (heures)
faire ses comptes
gagner une fortune
Il suffit de (+ verbe
   à l'infinitif)
Il m'arrive de (+ verbe
   à l'infinitif)
Je ne suis pas sûr
   d'y arriver.
Le tout, c'est
   de s'y mettre.
Ne vous en faites pas !
Ne vous y trompez pas.
mener la grande vie
un mouvement
   féministe
On ne peut pas tout
   avoir !
On va exploser
   le record ! (familier)
un processus de
   concertation
le rapport à l'argent
reste à (+ verbe
   à l'infinitif)
toucher le gros lot /
   un salaire

OBJECTIFS

• Exprimer une hypothèse incertaine
• Exprimer une hypothèse non réalisée
• Demander des informations
• Demander des précisions
• Décrire un dispositif de formation
• Présenter sa situation professionnelle, parler de ses projets professionnels
• Mettre en valeur son propos
• Formuler des conseils
• Parler de ses conditions de travail
• Opposer des faits, des arguments
• Exprimer la concession
• Argumenter (2)

Zénith

Ah ! Si j'étais riche !

Compréhension orale

1 Écoutez et répondez par vrai ou faux.

a. Ce document présente les résultats d'une enquête de rue.

❏ Vrai ❏ Faux

b. L'enquête montre que les Français rêvent de choses simples.

❏ Vrai ❏ Faux

c. Les personnes interrogées ne jouent jamais au Loto.

❏ Vrai ❏ Faux

d. La question « Que feriez-vous si vous gagniez au Loto ? » révèle que les gens ont de grandes ambitions.

❏ Vrai ❏ Faux

e. Les gagnants du Loto, le plus souvent, continuent à travailler comme avant.

❏ Vrai ❏ Faux

2 Écoutez à nouveau et complétez les phrases suivantes.

a. Amandine, étudiante de 21 ans, rêve de ....

b. Pour Stéphane, ingénieur de 50 ans, gagner au Loto lui permettrait de ....

c. Sophie, secrétaire médicale de 42 ans, rêverait de ....

d. Émilie, étudiante de 25 ans, pense que si elle gagnait au Loto, ...

Vocabulaire

3 Soulignez le mot qui convient.

a. L'argent n'a jamais été *un tabou* / *une dette* pour moi.

b. Beaucoup de gens ici *dénoncent* / *dominent* les inégalités entre les riches et les pauvres.

c. Elle n'a pas de *liquide* / *richesse* sur elle : elle doit payer par carte bancaire.

d. Nous n'avons plus d'argent, nous avons tout *dépensé* / *remboursé*.

e. Il invite souvent ses amis au restaurant, il n'est pas *radin* / *puritain*.

f. Quand on lui demande combien il gagne, il est *embarrassant* / *gêné*.

4 Pour chaque situation, faites une phrase avec une des expressions suivantes :

décomplexé - mirobolant - un souci - mener la grande vie - modeste - acheter à crédit - se soucier de.

Exemple : Aline et Paul ont gagné au Loto : .... → *Aline et Paul ont gagné au Loto : ils mènent la grande vie.*

a. Je dois m'inquiéter de rembourser mes dettes : ....

b. Vincent n'a pas assez d'argent pour s'acheter une voiture : ....

c. Ma voisine gagne beaucoup d'argent : ....

d. Ça ne le dérange pas du tout de parler d'argent : ....

e. Ils n'ont pas beaucoup de richesses matérielles : ....

f. Vous avez des problèmes d'argent ? : ....

5 Complétez le texte avec les mots suivants :

une valeur – modestes – richesses – un rapport à l'argent – dénoncent – ne se soucient pas – l'État providence – tabou – les inégalités.

Nous vivons dans un pays où .... permet de réduire .... Cependant, les plus riches

continuent à cumuler plus de ...., alors que les plus .... ont de moins en moins d'argent.

Les hommes politiques .... de cette situation, mais certains la ....

L'argent est devenu .... dans notre société, même si cela reste un peu .... dans certains pays,

puisque chacun a .... différent selon sa culture.

Compréhension orale

6 Dans quel ordre entendez-vous les sons [b] ou [v] ? ◉

	[b]-[v]	[v]-[b]
a.	X	
b.		
c.		
d.		
e.		
f.		

7 Écoutez à nouveau et écrivez les phrases.

a. ....

b. ....

c. ....

d. ....

e. ....

f. ....

Grammaire

8 Reformulez comme dans l'exemple.

Exemple : Je gagne au Loto. / Je pars faire le tour du monde. → Si je gagnais au Loto, je partirais faire le tour du monde.

a. Il épargne pendant quelques mois. / Il peut s'acheter une voiture.

....

b. Nous faisons nos comptes régulièrement. / Nous n'avons pas autant de soucis avec notre banquier.

....

c. Elle joue au Loto. / Elle gagne sûrement.

....

d. On vous demande combien vous touchez. / Vous répondez sans aucune gêne.

....

9 Écrivez les verbes entre parenthèses au temps qui convient.

a. Si je gagnais au Loto, j'.. (*arrêter*) de travailler.

b. Si l'argent n'était pas perçu comme une valeur, les gens .... (*ne pas se soucier*) d'en avoir toujours plus.

c. Si tu m'avais écouté, tu .... (*ne pas perdre*) toutes tes économies au jeu.

d. Si vous aviez pu faire un autre métier, vous .... (*être*) banquier.

e. Si Caroline m'avait parlé de ses soucis, je l'.. (*aider*) volontiers.

f. Si la révolution n'avait pas eu lieu, un roi .... (*gouverner*) aujourd'hui notre pays.

10 Hypothèses dans le passé
Continuez de transformer le texte comme dans l'exemple.

Hier matin, il faisait beau, j'ai donc décidé d'aller me promener. J'ai appelé mon amie, mais elle ne m'a pas répondu, elle devait être occupée. J'avais faim et voulais manger quelque chose, du coup je me suis arrêté dans la boulangerie de la rue qui mène au parc, car j'avais envie d'aller manger mon gâteau tranquillement dans le parc. Il y avait la queue, il était midi, j'ai attendu longtemps avant de pouvoir acheter mon gâteau. Quand je suis sorti de la boulangerie, quelqu'un est passé devant moi et m'a bousculé. J'ai fait tomber mon gâteau par terre... En me baissant pour le ramasser, j'ai trouvé un ticket de Loto. Comme j'ai généralement beaucoup de chance, je l'ai gardé. Et puis, comme je suis curieux, je suis allé vérifier si c'était un ticket gagnant. Eh bien, vous me croirez ou pas, mais ce ticket gagnant m'a permis de rembourser toutes mes dettes !

Exemple : Si hier matin, il n'avait pas fait beau, je ne serais pas allé me promener.

....
....
....
....
....

Production écrite

11 Imaginez...

Vous avez à votre disposition une grosse somme d'argent et la possibilité d'en faire ce que vous voulez.
Formulez vos hypothèses en utilisant le conditionnel.

....
....
....
....
....

Je me forme

Compréhension orale

1 Écoutez et répondez par vrai ou faux.

a. Ce document présente les résultats d'un sondage.

❏ Vrai ❏ Faux

b. Les questions portent sur le système scolaire.

❏ Vrai ❏ Faux

c. 48 % des personnes interrogées disent avoir plus de connaissances que leurs parents au même âge.

❏ Vrai ❏ Faux

d. Les plus de 65 ans disent en avoir accumulé moins.

❏ Vrai ❏ Faux

e. Le dictionnaire reste l'outil de référence pour accéder au savoir.

❏ Vrai ❏ Faux

f. Les Parisiens ont choisi majoritairement le livre comme objet symbolisant le savoir.

❏ Vrai ❏ Faux

2 Écoutez à nouveau et complétez les phrases suivantes.

a. 11 % des personnes interrogées pensent que ....

b. 41 % des Franciliens disent ....

c. En ce qui concerne l'objet symbolisant le savoir, 60 % des Franciliens choisissent ....

d. Les trois principales solutions proposées pour faciliter l'accès au savoir sont : ....

Vocabulaire

3 Associez un verbe et un objet.

a. accéder à •

b. encourager •

c. acquérir •

d. solliciter •

e. télécharger •

f. se former •

• **1.** un tuteur pour une aide

• **2.** une plateforme de formation en ligne

• **3.** des ressources variées sur Internet

• **4.** de nouvelles connaissances

• **5.** en ligne

• **6.** les apprenants

4 Faites correspondre le mot et sa définition.

a. les acquis •

b. un diplôme •

c. les ressources •

d. un test d'évaluation •

e. un tuteur •

f. des courriels •

g. de la motivation •

• **1.** On en passe un pour connaître son niveau de connaissances.

• **2.** Il s'agit des choses que l'on connaît déjà.

• **3.** On en a besoin pour arriver à étudier seul.

• **4.** On les consulte sur Internet pour s'informer ou apprendre.

• **5.** On en envoie souvent pour une communication rapide.

• **6.** Il nous aide et nous accompagne lors d'une formation à distance.

• **7.** On peut en obtenir un à la fin des études.

5 Complétez le texte avec les expressions suivantes :

vous inscrire – le formateur – adapté – une formation à distance – la plateforme – convivial – des conseils – la motivation –
les apprenants – l'organisme de formation – les outils – progressé.

J'ai suivi.. et je dois dire que j'ai appris beaucoup de choses ! Au début, tous ....

se sont retrouvés dans .... pour faire connaissance et découvrir tous .... de communication

et d'apprentissage. .... nous a montré comment accéder à .... Le dispositif

est à la fois .... et bien .... à nos besoins, et surtout, les apprenants sont très sympas !

Ça, c'est important pour maintenir .... ! J'ai beaucoup ....

et si vous souhaitez .... à une formation en ligne, n'hésitez pas, demandez-moi .... !

Phonétique

6 Écoutez. Notez les pronoms que vous entendez. ⦿

a	me – les
b.	
c.	
d.	
e.	
f.	

7 Écoutez à nouveau et écrivez les phrases.

a. ....

b. ....

c. ....

d. ....

e. ....

f. ....

Grammaire

8 Soulignez l'expression correcte.

a. *Il la lui / lui la* a envoyée hier soir.

b. Nous *en leur / leur en* avons déjà parlé.

c. Ne *vous en / en vous* faites pas !

d. Vous devez absolument *le leur / leur le* faire savoir.

e. Vous pouvez *y vous / vous y* inscrire quand vous le souhaitez.

f. Parlez-*en-lui / -lui-en* !

9 Trouvez les répliques, affirmatives puis négatives, de ces dialogues.

Exemple : Tu t'es inscrit à la formation ? → Oui, je m'y suis inscrit. / Non, je ne m'y suis pas inscrit.

a. Tu peux te passer de ton téléphone portable ?

Oui, ... / Non, ...

b. Il t'envoie les ressources ?

Oui, ... / Non, ...

c. Vous avez montré le dispositif aux étudiants ?

Oui, ... / Non, ...

d. Tu lui as présenté ton formateur ?

Oui, ... / Non, ...

e. Il vous a corrigé des devoirs ?

Oui, ... / Non, ...

f. Il s'est habitué à ces nouveaux outils ?

Oui, ... / Non, ...

g. Ils ont donné des conseils aux apprenants ?

Oui, ... / Non, ...

h. Tu as envoyé le courriel à ton tuteur ?

Oui, ... / Non, ...

10 Complétez ce dialogue avec les doubles pronoms qui conviennent.

– Tu as envoyé ton devoir au formateur ?

– Non, je ne .... ai pas encore envoyé, j'ai complètement oublié !

– Pourtant, il .... a demandé lors du dernier regroupement, tu .... souviens ?

– Oui, je .... souviens très bien, mais ensuite j'ai été très occupé. Heureusement que tu .... fais penser !

– Tu as prévu quelque chose ce soir ?

– Non, peut-être un cinéma avec Paul, mais il ne .... a pas confirmé.

– Allez, je vous invite tous les deux à boire un verre, comme ça tu vas enfin .... présenter, ce fameux Paul !

– OK, d'abord je .... parle, ça te va ?

– Ta discrétion, je ne .... habituerai jamais ! Au fait, tu as une photo de lui ? Allez, montre-... , s'il te plaît !

– En fait, il ne .... a pas donné.

– Décidément, tu ne changeras jamais !

– Ne .... fais pas, il faut juste .... habituer !

Production écrite

11 Apprendre autrement

Continuez l'article suivant sur le mobile learning, en présentant les caractéristiques de ce type de formation.

Smartphones et tablettes numériques sont devenus des supports d'apprentissage de plus en plus courants. En effet, les formations en ligne sont disponibles sur ces outils, et ce qu'on appelle le "mobile learning", ou apprentissage mobile, est aujourd'hui considéré comme un moyen efficace, flexible et économique de former les salariés.

....

....

....

Présentez-vous !

Compréhension orale

1 **Écoutez ces trois personnes présenter leur activité professionnelle et cochez la bonne réponse.**

a. La personne 1 est :
- ❏ commerciale.
- ❏ directrice marketing.
- ❏ organisatrice de salons.

b. Son travail consiste à :
- ❏ trouver de nouveaux clients.
- ❏ créer de nouveaux téléphones.
- ❏ aider les commerciaux à vendre des téléphones.

c. L'objectif de cette année est :
- ❏ de vendre 10 % de téléphones en plus.
- ❏ d'ouvrir de nouveaux magasins à Barcelone.
- ❏ de battre le record.

d. La personne 2 :
- ❏ ne travaille qu'en anglais pour des clients internationaux.
- ❏ offre un service exclusivement pour les entreprises.
- ❏ a créé sa société en 1998.

e. Défio propose :
- ❏ des méthodes et des outils pour mieux communiquer.
- ❏ des meubles de bureau.
- ❏ des services de traduction.

f. Le service de conseil se fait :
- ❏ uniquement sur Internet via les réseaux sociaux.
- ❏ au choix, en face à face ou à distance.
- ❏ exclusivement lors de rencontres physiques.

g. La personne 3 a remarqué :
- ❏ que la musique est gratuite sur Internet.
- ❏ que la musique rassemble les gens.
- ❏ qu'on ne peut pas vivre sans musique.

h. La personne 3 va créer un site :
- ❏ pour découvrir de la musique.
- ❏ pour publier de la musique en ligne.
- ❏ pour que des gens se rencontrent selon leurs affinités musicales.

Vocabulaire

2 **Associez, comme dans l'exemple.**

a. *Cette équipe a développé* •
b. Je dois m'assurer que •
c. Il faut penser à mettre en valeur •
d. Pour être prêt à vous présenter, •
e. Lors de votre entretien, vous allez •
f. Vous ne devez mentionner que •
g. Il s'agit avant tout de convaincre •
h. Vous rencontrerez de nombreux interlocuteurs •

• **1.** les compétences du candidat.
• **2.** récitez votre texte devant la glace.
• **3.** *des projets de grande qualité.*
• **4.** évoquer vos expériences les plus intéressantes.
• **5.** les entreprises les plus emblématiques.
• **6.** les délais seront bien respectés.
• **7.** lors de notre salon professionnel.
• **8.** votre recruteur que vous êtes fait pour le poste.

3 **Faites correspondre un verbe et un objet.**

a. convaincre •
b. diriger •
c. rédiger •
d. développer •
e. tenir compte •
f. respecter •

• **1.** un projet
• **2.** des contraintes
• **3.** les délais
• **4.** une lettre de candidature
• **5.** un client
• **6.** une équipe de 5 personnes

4 Complétez le texte avec les mots suivants :

persuasif – convaincre – recruteur (2) – récité – prêté au jeu – entreprises – assimiler – rédigé – compétences – postes – attrayante – défis – m'entraîner – forum pour l'emploi – express – réussites – mentionné.

Avant de rencontrer mon ...., j'ai d'abord .... une présentation .... dans laquelle j'ai évoqué mes qualités et mes .... J'ai aussi .... les principaux .... que j'ai occupés, mes .... professionnelles et les nouveaux .... que je souhaiterais relever. Puis, j'ai .... mon texte devant la glace, et j'ai demandé à un ami de venir jouer le rôle du .... Il s'est .... avec beaucoup de sérieux et il a même trouvé mon discours très .... Ma présentation .... ne dure que deux minutes, mais j'ai passé beaucoup de temps à .... mon texte, puis à .... La semaine prochaine, je vais à un .... , j'espère que je réussirai à .... les .... que je suis celui qu'ils cherchent !

Phonétique

5 Écoutez. Qu'entendez-vous : *ce que* ou *ce qui* ? 🔘

	[skø]	[ski]
a.	X	
b.		
c.		
d.		
e.		
f.		

6 Écoutez et écrivez les phrases. 🔘

a. ....

b. ....

c. ....

d. ....

Grammaire

7 Reformulez comme dans l'exemple.

Exemple : Elle a développé ce projet. → **C'est** elle **qui** a développé ce projet !

a. Nous avons trouvé une solution innovante pour nos clients. → ....

b. Nous devons tenir compte des contraintes. → ....

c. Elle est allée au forum pour l'emploi pour rencontrer des recruteurs. → ....

d. Il a un parcours professionnel étonnant. → ....

e. Vous avez mentionné ses compétences d'autonomie. → ....

f. J'ai créé une entreprise de jeux vidéo. → ....

8 Complétez avec *ce qui – ce que – ce dont*.

a. Si vous savez ..... *ce que* ..... vous voulez, les choses devraient être plus simples.

b. Il ne fait que ..... *ce qui* ..... l'intéresse.

c. Dites-moi ..... *ce dont* ..... vous avez besoin, j'essaierai de vous aider.

d. Il n'a pas bien compris ..... *ce que* ..... je lui ai expliqué.

e. Vous devez expliquer ..... *ce dont* ..... vous êtes capable.

f. Vous savez ..... *ce qui* ..... le motive ?

g. Elle ne pense pas ..... *à ce qu'* ..... elle dit.

h. Il fera ..... *ce qui* ..... conviendra.

9 Mettez en valeur ces propos, en utilisant la mise en relief.

Exemple : Elle aime beaucoup relever des défis. → *Ce qu'elle aime, c'est relever des défis !*

a. Il pense que c'est très important de respecter les délais.

→ .....

b. Pour elle, l'innovation est l'aspect qu'elle préfère dans son métier.

→ .....

c. Ça lui plaît beaucoup de travailler à l'étranger.

→ .....

d. Elle voudrait vraiment obtenir ce poste dans le service marketing.

→ .....

e. Il dirige une équipe internationale de 20 personnes. C'est le travail qu'il fait.

→ .....

f. Je trouve que c'est indispensable de parler le chinois pour faire des affaires en Chine.

→ .....

Production écrite

10 Présentez votre projet d'application !

Vous avez créé une nouvelle application pour smartphone qui va beaucoup aider les personnes à la recherche d'un emploi, mais aussi toute personne qui souhaite améliorer sa capacité à convaincre un partenaire ou un client, ou mettre en valeur un projet pour trouver des gens acceptant de le financer. Cette application permet de créer une belle présentation : sélection des bons arguments, choix des bonnes formules, possibilité de vous enregistrer ... les fonctions sont nombreuses !

À vous maintenant de présenter votre projet, en le mettant en valeur, car vous devez convaincre vos partenaires potentiels.

.....

.....

.....

.....

.....

Temps de travail

Compréhension orale

1 Écoutez et cochez la bonne réponse.

a. Le manque de compétitivité de la France :
- ❏ est un cliché.
- ❏ est une réalité.
- ❏ est un problème selon l'Union européenne.

b. Selon Eurostat, en 2011 les salariés français travaillaient en moyenne :
- ❏ 41,6 heures hebdomadaires.
- ❏ 41,9 heures hebdomadaires.
- ❏ 41,2 heures hebdomadaires.

c. La durée effective du travail sur l'année reste en France :
- ❏ dans la moyenne européenne.
- ❏ l'une des plus faibles d'Europe.
- ❏ égale à celle de l'Allemagne.

d. Le prix moyen d'une heure de travail en Europe est de :
- ❏ 27,60 euros.
- ❏ 34,20 euros.
- ❏ 38,60 euros.

2 Écoutez à nouveau et répondez aux questions.

a. Combien coûte une heure de travail pour les entreprises françaises de plus de 10 salariés en 2011 ?

....

b. Comment expliquer ce coût élevé ?

....

c. La France est-elle un pays compétitif ?

....

d. D'après le document, quel est le pays qui a le coût du travail le plus élevé ?

....

Vocabulaire

3 Classez les mots suivants et réutilisez-les dans une phrase :

traffic jam

sacrifier – s'adapter – les embouteillages – bien payé – s'épanouir – interminable – manquer de – équilibrer.

Positif		Négatif	
bien payé équilibrer s'adapter	si épanouir	sacrifier interminable manquer de	les embouteillages

- J'espere que dans mon job je serais bien payé.
- J'espere que je ne manquerais pas d'opportunité pour avancer ma carrière.
- J'espere que je ne sacrifierais pas mon heureuse pour d'argent.

4 Entourez l'expression qui convient.

a. Elle a choisi de travailler depuis *son domicile / son réseau*.

b. *Les usagers / Les équipements* peuvent à présent bénéficier d'horaires plus souples.

c. Vous arrivez à *concilier / consacrer* votre vie familiale et votre vie professionnelle ?

d. Il nous faudra *évoluer / aménager* les horaires pour être plus efficaces.

e. Le chef d'entreprise *manque / prend en compte* les besoins de ses employés.

f. La direction a prévu d'ouvrir *une crèche / une nocturne* pour faciliter la vie des salariés.

5 Complétez le texte avec les mots suivants :

le domicile – employés – le chef d'entreprise – épanouissant – me débrouille – trajets – s'organiser – municipale – passaient – une concertation – décalés – concilier – manquaient – nocturnes – embouteillages.

Quand j'ai commencé à travailler dans cette entreprise, j'avais des horaires .... qui ne me permettaient pas d'avoir une vie personnelle

équilibrée. Quand .... a remarqué que certains .... avaient du mal à ....,

que d'autres .... de sommeil, et d'autres encore .... trop de temps dans les ....,

alors il a décidé de lancer .... pour trouver des solutions. Pour réduire le temps perdu lors des ....

entre le travail et.., on nous a proposé de travailler deux jours à la maison. Depuis, je trouve mon travail

beaucoup plus ...., je passe plus de temps avec mon ami, je profite même des ....

de la piscine .... Bref, c'est plus facile aujourd'hui pour moi de .... mon travail et ma vie privée,

je .... plutôt bien !

Phonétique

6 Écoutez. Combien de fois entendez-vous le son [j] ? ⊙

a.	2
b.	
c.	
d.	
e.	
f.	

7 Écoutez à nouveau et écrivez les phrases.

a. ....

b. ....

c. ....

d. ....

e. ....

f. ....

Grammaire

8 Comme dans l'exemple, établissez des oppositions avec :

par contre – en revanche – contrairement à – alors que.

*Exemple : Il voyage souvent à l'étranger dans le cadre de son travail, **contrairement à** sa femme qui ne voyage presque jamais.*

Lui
Il travaille le samedi.
Il va à la piscine entre midi et deux.
Il est travailleur indépendant.
Il adapte ses horaires selon les besoins de ses clients.
Il communique rapidement avec ses partenaires.
Il touche un salaire variable.
Il manque de temps pour aller au cinéma, ou visiter un musée.

Elle
Elle ne travaille pas le week-end.
Elle profite des nocturnes pour aller nager.
Elle est salariée dans une grande entreprise.
Elle a toujours les mêmes horaires.
Elle a des réunions de travail interminables.
Elle touche un salaire fixe.
Elle se débrouille toujours pour aller se détendre, s'occuper un peu d'elle.

9 Transformez comme dans l'exemple.

Exemple : Son travail n'est pas épanouissant. / Il garde son poste. (bien que) → Bien que son travail ne soit pas épanouissant, il garde son poste.

a. Il est chef d'entreprise. / Il n'est pas très bien payé. *(pourtant)* → *Il est chef d'entreprise pourtant il n'est pas très bien payé.*

b. Les piscines sont ouvertes le soir. / Il ne trouve pas le temps d'y aller. *(bien que)* → *Bien que les piscines soient ouvertes le soir, il ne trouve pas le temps d'y aller.*

c. Le métro fonctionne toute la nuit. / Il prend un taxi. *(quand même)* → *Le métro fonctionne toute la nuit quand même il prend un taxi.*

d. Son travail a beaucoup de contraintes. / Elle adore son travail. *(malgré)* → *Malgré beaucoup de contraintes, elle adore son travail.*

e. Les salariés ont exprimé leur mécontentement. / Il n'y a pas eu de conciliation. *(bien que)* → *Bien que les salariés aient*

f. Il travaille à domicile. / Il n'arrive pas à gérer son stress. *(toutefois)* → *Il travaille à domicile toutefois il n'arrive pas à gérer son stress.*

g. Elle travaille le week-end. / Elle n'est pas fatiguée. *(pourtant)* → *Elle travaille le week-end pourtant elle n'est pas fatiguée.*

h. Il a cinq enfants. / Il continue à travailler à temps plein. *(quand même)* → *Il a cinq enfants quand même il continue à travailler à temps plein.*

Production écrite

11 Travailler dans une petite structure ou dans une grande entreprise ?

Le choix n'est pas facile, puisque dans les deux cas, il y a des avantages mais aussi des inconvénients.
Vous rédigerez un texte construit dans lequel vous donnerez vos arguments et votre point de vue.

Un savoir-faire français qui séduit à l'étranger

1 Connaissez-vous des marques françaises qui sont appréciées dans votre pays ?

....

....

2 Lisez le texte suivant et dites, pour chaque entreprise présentée, quelle est la stratégie qui a été choisie.

Tourisme, vins, gastronomie, mode, design, le monde entier adore de nombreuses marques françaises qui ont su se faire connaître et trouver leurs clients à l'extérieur de leurs frontières. Le marché du luxe, en plein développement depuis 20 ans, séduit aujourd'hui la Chine, l'Inde et la Russie. Dans ce secteur offrant une large gamme de produits, l'excellence française est une réalité, puisque les entreprises françaises représentent 36 % du total, devant les Américains (23 %) et les Italiens (13 %). Voici quelques exemples de réussites exemplaires.

Longchamp

Cette entreprise familiale a su, en trois générations, transformer une petite boutique parisienne en une marque de luxe internationale employant 2 200 personnes. La recette du succès ? Une histoire, un savoir-faire, des produits emblématiques, une qualité exceptionnelle. L'ouverture de boutiques en Chine a beaucoup aidé la marque à se faire connaître, et la Chine est aujourd'hui un des premiers marchés du maroquinier.

Repetto

Créée en 1947 par Rose Repetto, l'entreprise est à l'origine spécialisée dans la fabrication de chaussons de danse. En 1999, alors qu'elle est en grande difficulté, elle est rachetée par un homme convaincu de son potentiel. Le nouveau propriétaire s'appuie sur les valeurs et le savoir-faire de la marque pour la développer sur le secteur du luxe. Il crée aussi de nouveaux produits : sacs, vêtements. Le succès est au rendez-vous et la demande explose, en particulier au Japon et en Corée. Toutefois, les chaussons et les ballerines sont toujours fabriqués en France.

Pierre Hermé

Rebaptisé « le Picasso de la pâtisserie » par les Américains, Pierre Hermé est devenu en vingt ans un artiste renommé et couronné de succès. Après une expérience au Japon, il rentre en France en 2001, et le succès est immédiat. Il propose une approche originale et luxueuse de la pâtisserie, qu'il considère comme un art au même titre que la peinture, la musique, la sculpture ...

Longchamp : ....

....

....

Repetto : ....

....

....

Pierre Hermé : ....

....

....

Évaluation finale

Évaluation finale

1 Complétez avec le mot qui convient. ..../5

a. Le .... passe par dessus la rivière.

b. On appelle .... ceux qui se connectent à Internet.

c. Il a su me convaincre : il a été très ....

d. L'expert l'a confirmé : ce tableau a une valeur ....

e. Après l'examen, le médecin .... une ordonnance.

2 Indiquez le contraire de ces mots ou expressions. ..../10

a. avoir bonne mine ≠ ....

b. complexé ≠ ....

c. vertical ≠ ....

d. s'installer ≠ ....

e. c'est bon signe ≠ ....

f. matériel ≠ ....

g. gras ≠ ....

h. amateur ≠ ....

i. honnête ≠ ....

j. mal payé ≠ ....

3 Associez. ..../5

a. un recruteur •   • **1.** une personne qui offre un emploi

b. motiver •   • **2.** plus

c. un cliché •   • **3.** inhabituel, bizarre

d. insolite •   • **4.** un stéréotype

e. davantage •   • **5.** donner envie de faire quelque chose

4 Complétez les phrases à l'aide de ces expressions de cause : ..../5

en effet - étant donné - étant donné que.

a. Je me demande si je dois continuer à prendre ce médicament ...., je commence à avoir mal à l'estomac.

b. .... la difficulté à obtenir un rendez-vous avec ce praticien, je pense que je vais en changer.

c. Mon médecin est très en colère .... je refuse de prendre des médicaments.

d. Les gens prennent des médicaments sans l'avis du médecin. ...., ils ne veulent pas souffrir inutilement.

e. Il faut continuer de faire de la prévention, ..., elle est indispensable.

5 Complétez le texte avec les mots suivants :

.... /5

en fait – donc – alors qu' – en effet – d'ailleurs.

Le cinéma africain à l'honneur

Le Fespaco, Festival Panafricain du Cinéma de Ouagadougou, au Burkina Faso, est un événement majeur

pour le cinéma africain depuis sa création en 1969. ...., ces rencontres

permettent à de nombreux professionnels du cinéma d'échanger leurs idées, leurs préoccupations,

mais aussi de trouver des solutions face aux difficultés qu'ils ont parfois à tourner un film, et à le faire

connaître. ...., cela leur demande souvent quatre années de préparation,

on comprend .... la fierté de certains réalisateurs qui viennent présenter

leur travail à ce festival.

.... en France on attribue un César, en Afrique c'est l'Étalon de Yennenga

qui récompense le meilleur film du Fespaco. Mais les cinéastes ne sont pas là seulement pour obtenir

une récompense ...., le plus important pour eux, c'est que leur œuvre

soit regardée par le plus grand nombre de personnes.

---

6 Entourez la forme du passé qui convient.

.... /5

Mehdi *a raconté / racontait* son histoire à un journaliste : Mehdi *naissait / est né* en 1956 dans un petit village, à la campagne.

Très jeune, il a déménagé et il *grandissait / a grandi* dans une ville de banlieue. Tous les jours, il *allait / est allé* au travail, dans l'usine de voitures

qui *était / a été* située non loin de son domicile. Il faut dire qu'il *n'est pas allé / n'allait pas* à l'université.

Il *s'est tourné / tournait* tardivement vers la sculpture et il *est devenu / devenait* célèbre assez tard, quand il *a eu / avait* cinquante ans.

Il *ne retournait jamais / n'est jamais retourné* dans son village natal.

7 Faites une seule phrase en utilisant *après* + infinitif passé ou *après que* + l'indicatif.

.... /5

Exemple : Je suis allée dans un bar à sieste. Je me suis sentie très reposée.
→ *Je me suis sentie très reposée après être allée dans un bar à sieste.*

a. Il a dormi 20 minutes. Il s'est senti mieux.

....

b. Le directeur a autorisé les salariés à faire la sieste sur leur lieu de travail. Les salariés ont installé des sofas dans la salle de repos.

....

c. J'ai déjeuné. J'ai fait la visite de la ville.

....

d. Le médecin lui a conseillé de faire la sieste. Il a très vite pris cette habitude.

....

e. Il a fait 30 minutes de sport. Il s'est détendu dans la salle de repos.

....

Évaluation finale

8 **Écoutez le document 2 de la leçon 23 du livre de l'élève et répondez aux questions.** ○ ..... /10

a. En quoi consiste le travail de Gabriel ?

b. Quelles sont les qualités essentielles pour faire ce type de travail ?

c. Qu'est-ce qu'il aime le plus dans son métier ?

d. Quel est le rêve de Gabriel ?

9 **Écoutez le document 1 page 24 du livre de l'élève et répondez aux questions.** ○ ..... /10

a. Quelle était la proportion de la population urbaine en 1950 ?

b. Comment a-t-elle évolué et va-t-elle encore évoluer ? Justifiez votre réponse.

c. Quelle comparaison peut-on faire entre les agglomérations du début au XXe siècle et les agglomérations en 2013 ?

d. Comment sont nés les gratte-ciel aux États-Unis ?

e. Depuis quand Paris est appelé la Ville lumière ?

f. Pourquoi la ville de Paris est appelée la Ville lumière ?

g. De quoi rêvent les architectes ?

h. À quel moment est apparu le mot « pollution » ?

i. À quel événement est liée l'apparition du mot « pollution » ?

j. Pourquoi a-t-on appelé les parcs et les jardins les « espaces verts » ?

Évaluation finale

10 Jouez le rôle qui vous est indiqué. .... /5

Vous avez créé une application pour smartphone qui permettra aux gens qui apprennent les langues étrangères de mieux mémoriser le vocabulaire.
À l'occasion d'un salon professionnel, vous préparez une présentation de votre invention, et vous essayez de convaincre votre interlocuteur de son utilité et de son caractère innovant.

11 On vous questionne sur vos vacances. .... /5

Un(e) ami(e) vous pose des questions sur vos dernières vacances.
Vous décrivez les circonstances de votre dernier voyage et les activités que vous avez préférées.
Vous exprimez vos regrets, par exemple vous évoquez les lieux où vous n'avez pas pu aller et que vous auriez aimé visiter.

Compréhension écrite .... /20

12 Lisez cet article, puis répondez aux questions. .... /4

> **Expatriation, mode d'emploi**
>
> Beaucoup de jeunes d'origine étrangère retournent dans leur pays pour y monter leur entreprise ou y travailler. M. Saada vient de monter sa propre entreprise dans le pays où il est né, la Tunisie. Il explique ce choix par la proximité géographique mais aussi… culturelle. Un autre facteur est pris en compte : celui du marché. Dans un secteur en plein développement, « le marché tunisien qui a été longtemps celui du tourisme de masse, avec ses grands hôtels, est en train de découvrir un tourisme alternatif ». « Mais ce tourisme est encore très récent », ajoute ce tout jeune chef d'entreprise.
>
> Et, en termes de budget, « le coût d'une expatriation dans un pays comme celui-ci coûte moins cher comparativement à l'argent qu'il aurait fallu dépenser pour la même opération en France », précise M. Saada.
>
> Pour ce qui est du bilan, le jeune PDG attend la fin de l'année avant de tirer des conclusions sur cette première année d'exploitation.

a. Pour quelles raisons M. Saada a-t-il décidé de monter son entreprise en Tunisie ?

....

....

b. Quel tourisme a-t-il choisi de privilégier ?

....

c. Comment évolue le secteur du tourisme en Tunisie ?

....

d. Quand M. Saada fera-t-il son bilan ?

....

Évaluation finale

13 **Lisez le texte, puis répondez aux questions.**

Michel Serres fait partie des philosophes que le public connaît et apprécie. Il était présent au Salon du livre, où de nombreuses personnes étaient venues l'écouter parler de son dernier livre, *Petite Poucette*, aux éditions Le Pommier.

« Petite Poucette » désigne les gens qui ont un rapport familier et intuitif avec le numérique, ce sont ceux qui écrivent des textos à toute vitesse, ce dont Michel Serres, il l'avoue lui-même, n'est pas capable. Toutefois, il refuse d'utiliser le mot « génération », car ce mot-là renvoie à l'idée de conflit de générations. En tout cas, c'est la tranche d'âge des 0-35 ans qui est concernée par ce nouveau rapport au monde.

Pour le philosophe, un nouveau monde est en train de naître, un monde imprégné par les nouvelles technologies. Cependant, il ne se montre pas alarmiste, bien au contraire. Cette évolution, selon l'auteur, fait suite à d'autres révolutions (l'invention de l'écriture, puis de l'imprimerie) qui ont profondément modifié notre façon de penser et de travailler.

Cette population qui a toujours son portable en main ne doit pas être perçue, selon l'auteur, comme un risque pour la connaissance et l'intelligence, mais tout ce savoir accessible en un clic a transformé élèves et étudiants, qui n'ont plus besoin d'apprendre des sommes de savoirs, celles-ci étant contenues dans le disque dur d'un ordinateur, que l'on peut facilement consulter. Michel Serres rappelle la sage parole de Montaigne qui préférait « une tête bien faite à une tête bien pleine ». Autrement dit, pas besoin de se remplir le cerveau d'informations quand on a une bibliothèque à portée de main ou, désormais, un ordinateur ou encore un smartphone.

Le philosophe préfère voir ce qui est possible grâce à ces changements et ne pas regarder vers le passé. À quatre-vingts ans passés, une telle ouverture d'esprit est remarquable et un exemple pour tous.

a. Quel est le sujet du dernier livre de Michel Serres, *Petite Poucette* ?

....

....

b. Pourquoi ne veut-il pas utiliser le terme « génération » ?

....

....

c. Expliquez la phrase : « Il ne se montre pas alarmiste ».

....

....

....

d. Expliquez comment les nouvelles technologies ont modifié notre rapport au savoir.

....

....

....

Évaluation finale

14 Lisez le texte et complétez le tableau ci-dessous.

.... /6

Travailler, pour quoi faire ?

Notre travail détermine non seulement notre quotidien, mais aussi notre mode de vie ou notre humeur.
Mais pourquoi travaille-t-on ? Qu'est-ce qui nous motive ?
L'argent ? La façade sociale d'un métier ? Enquête.

1. Franck, gérant d'une boutique de restauration de meubles, est assis devant son écran d'ordinateur. Pour lui, ce travail n'est rien d'autre qu'une façon de gagner sa vie. Il a en effet repris l'entreprise familiale, mais il rêvait de devenir pilote de ligne. Avec la crise, il a dû renoncer à son projet. Il a 40 ans et travaille six jours sur sept, de 8 heures à 10 heures, pour un salaire net moyen de 3 500 euros par mois. « *L'artisan amoureux de son métier, qui l'exerce par passion, c'est un cliché*, lâche-t-il. *On ne sait jamais comment va se passer le mois, c'est stressant. Et avec la crise, les gens achètent moins, et je sais que mon métier va finir par disparaître. Si on me donnait assez d'argent pour ne plus travailler, j'arrêterais tout.* »

2. Pascale, radiologue, dit elle-même que son métier n'est pas « *le plus contraignant et le plus difficile du monde* ». Son salaire mensuel tourne autour de 8 500 euros, et si elle travaille, c'est avant tout « *pour gagner sa vie, comme tout le monde.* » Mais elle reconnaît toutefois que son métier revêt un intérêt fondamental, celui de la reconnaissance sociale. « *Mon travail est aussi une façon d'exister, je m'y retrouve, et la médecine reste un milieu respecté aujourd'hui, c'est très agréable.* »

3. Hervé, 52 ans, tient un magasin de jouets. Dans sa boutique, des articles neufs mais aussi des jeux d'occasion, dont la vente lui rapporte chaque mois autour de 1 550 euros. De quoi vivre, mais pas seulement. Pour lui, « *avoir un emploi permet d'être indépendant et libre. Sans travail, non seulement on déprime, mais on survit en étant à la charge de la société.* » Comme l'explique Hervé, il lui est aussi difficile de quitter sa maison le matin que de fermer sa boutique le soir pour rentrer chez lui. « *Pour moi, travailler est une évidence, cela fait tout simplement partie de la vie.* »

4. Pour Christelle, « *le travail est une nécessité, donc autant le faire avec le sourire !* ». Depuis 7 ans, elle est hôtesse d'accueil dans une maison de retraite. « *Avant, j'étais commerciale dans une banque, et je détestais ça ! J'avais l'impression d'arnaquer les gens. Travailler me permet de m'épanouir. Avoir un emploi répond aussi au besoin de connaître sa propre valeur, d'avoir la satisfaction de trouver le truc qui nous plaît et nous correspond.* » Pour un salaire mensuel de 1 600 euros, elle gère aujourd'hui l'accueil des familles, les petites questions de la vie quotidienne, répond au téléphone. Elle adore se sentir utile, avoir un rôle et une place précise dans la société. Enfin, le travail est selon elle une valeur à transmettre à ses enfants. L'envie de travailler, et de le faire bien.

Extrait de la revue *Le français dans le monde* n° 385, janvier-février 2013.

	Métier	Salaire	Motivations
1. Franck			
2. Pascale			
3. Hervé			
4. Christelle			

Expression écrite .... /10

15 Cette année-là... .... /5

> **1966**
> • En Chine, Mao a lancé la révolution culturelle.
> • Indira Gandhi est devenue Premier ministre en Inde.
> • L'écrivain surréaliste français André Breton meurt.
> • En France, la femme est devenue l'égale juridique de l'homme.
> • Le film *La Mélodie du bonheur* a reçu un Oscar.
> • Et je suis né cette année-là !

Prenez votre date de naissance et recherchez quels sont les événements qui ont marqué cette année-là. Écrivez votre texte au passé.

19......... :

....

....

....

Et je suis né(e) cette année-là !

16 Que de changements ! .... /5

Décrivez les changements qui se sont produits depuis 100 ans en choisissant un thème parmi ceux qui sont proposés. Utilisez des conjonctions de temps.

Exemple : thème des transports
Autrefois / Il y a plus de 100 ans, *les gens se déplaçaient à cheval ; ils parcouraient ainsi de courtes distances.*
Mais, **entre temps**, *de nouveaux moyens de transport ont été inventés.* **Aujourd'hui**, *les temps ont bien changé. Les hommes parcourent le monde* **maintenant que** *l'on a inventé les voitures, les trains et bien entendu les avions.*

• les voyages
• les loisirs
• les femmes
• les vêtements
• le travail
• le transport
• le téléphone

....

....

....

....

....

....

....

COMPTEZ VOS POINTS !

VOCABULAIRE		
	1.	.../5
	2.	.../10
	3.	.../5
	Total	**.../20**

GRAMMAIRE		
	4.	.../5
	5.	.../5
	6.	.../5
	7.	.../5
	Total	**.../20**

COMPRÉHENSION ORALE		
	8.	.../10
	9.	.../10
	Total	**.../20**

INTERACTION ORALE		
	10.	.../5
	11.	.../5
	Total	**.../10**

COMPRÉHENSION ÉCRITE		
	12.	.../4
	13.	.../10
	14.	.../6
	Total	**.../20**

EXPRESSION ÉCRITE		
	15.	.../5
	16.	.../5
	Total	**.../10**

NOTE FINALE	.../100

Exploitation des vidéos

UNITÉ 1 — Un petit tour en ville

Résumé :

Le créateur de Velord nous parle des circuits touristiques qu'il organise en vélo électrique.

OBJECTIFS

• Raconter un événement au passé.

• Argumenter : exposer des raisons, introduire un sujet.

• Parler de l'avenir : exprimer un souhait, faire un vœu.

Activités d'observation

1 Dites si les phrases suivantes sont vraies ou fausses.

a. Les vélos sont équipés d'un toit.

❑ Vrai ❑ Faux

b. Les cyclistes roulent parmi les voitures.

❑ Vrai ❑ Faux

c. Les vélos sont blancs.

❑ Vrai ❑ Faux

d. Les cyclistes portent un casque.

❑ Vrai ❑ Faux

2 Choisissez la bonne réponse.

1. Le créateur de Velord se trouve...

a. dans un bureau.

b. dans la rue.

c. dans sa boutique.

2. Les gilets de sécurité des cyclistes sont...

a. bleus.

b. jaunes.

c. orange.

3. Les deux cyclistes sont...

a. deux hommes.

b. deux femmes.

c. un homme et une femme.

Activités de compréhension

3 Dites si les phrases suivantes sont vraies ou fausses.

a. Velord permet de visiter Paris.

❑ Vrai ❑ Faux

b. Les circuits touristiques se font en scooter.

❑ Vrai ❑ Faux

c. Certains itinéraires sont organisés de nuit.

❑ Vrai ❑ Faux

d. Les vélos sont équipés d'écrans informatiques.

❑ Vrai ❑ Faux

4 Choisissez la bonne réponse.

1. Velord existe depuis...

a. décembre 1998.

b. décembre 2009.

c. décembre 2011.

2. Les vélos sont équipés d'écouteurs pour écouter...

a. la radio.

b. des informations sur la circulation.

c. des explications sur les monuments.

3. Le guide de Velord fonctionne actuellement en...

a. deux langues.

b. trois langues.

c. quatre langues.

4. Les pistes cyclables permettent...

a. d'être protégé des voitures.

b. de faire du lèche-vitrine.

c. de rouler avec les piétons.

Exploitation des vidéos

Loisirs, plaisirs

Résumé :
Le fondateur de Wine Touch nous parle du concept de sa boutique, qui permet de déguster le vin au verre avant de l'acheter.

OBJECTIFS

- Situer dans le temps.
- Argumenter : développer des arguments, hiérarchiser, conclure.
- Exprimer un sentiment : la surprise, la joie.

Activités d'observation

1 Dites si les phrases suivantes sont vraies ou fausses.

a. Le fondateur de Wine Touch porte une cravate.

❑ Vrai ❑ Faux

b. L'un des clients porte un pull bleu.

❑ Vrai ❑ Faux

c. Les murs de la cave sont en pierre.

❑ Vrai ❑ Faux

d. Il y a plusieurs machines à distribuer le vin.

❑ Vrai ❑ Faux

2 Choisissez la bonne réponse.

1. Le créateur de Wine Touch est devant...

a. une machine à distribuer le vin.

b. des caisses de vin.

c. le comptoir d'un bar.

2. Les machines à distribuer le vin sont...

a. en bois.

b. en métal.

c. en verre.

3. Les deux clients goûtent...

a. du champagne.

b. du vin blanc.

c. du vin rouge.

Activités de compréhension

3 Dites si les phrases suivantes sont vraies ou fausses.

a. Wine Touch vend du vin.

❑ Vrai ❑ Faux

b. Les machines à distribuer le vin fonctionnent avec une carte bancaire.

❑ Vrai ❑ Faux

c. Il y a deux espaces de dégustation.

❑ Vrai ❑ Faux

d. La boutique dispose d'une terrasse.

❑ Vrai ❑ Faux

4 Choisissez la bonne réponse.

1. Wine Touch est ouvert depuis...

a. 2007.

b. 2010.

c. 2013.

3. Les machines distribuent des verres de...

a. 1, 3 ou 9 centilitres.

b. 3, 6 ou 12 centilitres.

c. 4, 8 ou 16 centilitres.

4. Wine Touch propose aussi des dégustations de...

a. tartines de fromages et de charcuterie.

b. tartines de confiture et de miel.

c. fruits.

5. Lorsque la bouteille se vide, l'espace libéré est automatiquement rempli...

a. de gaz carbonique.

b. d'azote.

c. d'oxygène.

Exploitation des vidéos

UNITÉ 3 De l'art au quotidien

Résumé :

À la médiathèque, Katia raconte à Pierre le fait divers à l'origine de l'exposition qu'ils découvrent.

Activités d'observation

1 Dites si les phrases suivantes sont vraies ou fausses.

a. Katia et Pierre sont seuls dans la pièce.

❏ Vrai   ❏ Faux

b. Katia porte une jupe.

❏ Vrai   ❏ Faux

c. L'affiche la plus à gauche est jaune et noire.

❏ Vrai   ❏ Faux

d. Il y a un fauteuil rouge dans la pièce.

❏ Vrai   ❏ Faux

2 Choisissez la bonne réponse.

1. L'exposition présente...

a. des affiches.

b. des peintures.

c. des photographies.

2. Pierre porte une veste...

a. bleue.

b. noire.

c. rouge.

3. Dans la salle d'exposition de la médiathèque, on peut aussi...

a. boire un café.

b. écouter de la musique.

c. lire des livres et des journaux.

Activités de compréhension

3 Dites si les phrases suivantes sont vraies ou fausses.

a. L'auteur du fait divers habite le quartier.

❏ Vrai   ❏ Faux

b. Les affiches exposées ont été réalisées par des artistes américains.

❏ Vrai   ❏ Faux

c. Pierre avait déjà lu le fait divers dans la presse.

❏ Vrai   ❏ Faux

d. Une médiathèque propose plus de choses qu'une bibliothèque.

❏ Vrai   ❏ Faux

4 Choisissez la bonne réponse.

1. Le fait divers que raconte Katia traite de...

a. la fugue d'un adolescent.

b. le vol d'un tableau.

c. l'enlèvement d'une femme.

2. L'auteur du fait divers est...

a. musicien.

b. peintre.

c. journaliste.

3. Pour prouver son amour à celle qu'il aime, le criminel avait...

a. écrit un poème.

b. acheté des fleurs.

c. écrit une chanson.

4. L'activité préférée de la jeune femme est...

a. la lecture.

b. la musique.

c. la danse.

Exploitation des vidéos

Comment vous sentez-vous ?

Résumé :

Trois amis (Sarah, Léo et Raphaël) reviennent d'un footing.
Ils discutent de la santé de Sarah.

OBJECTIFS

- Exprimer une opinion : faire des hypothèses, exprimer la condition et la possibilité.
- Argumenter : exposer des raisons, développer des arguments.

Activités d'observation

1 Dites si les phrases suivantes sont vraies ou fausses.

a. Ils ont tous les trois une serviette autour du cou.

❏ Vrai   ❏ Faux

b. Raphaël est assis.

❏ Vrai   ❏ Faux

c. Léo porte un pull violet.

❏ Vrai   ❏ Faux

d. Sarah pose son téléphone portable devant elle.

❏ Vrai   ❏ Faux

2 Choisissez la bonne réponse.

1. Les meubles de la cuisine sont...

a. bleus.

b. orange.

c. blancs.

2. Combien y a-t-il de verres colorés sur le bar ?

a. Un.

b. Trois.

c. Cinq.

3. Après avoir mis les morceaux de fruits dans le mixeur, Léo verse...

a. du vin.

b. de l'eau.

c. du jus d'orange.

Activités de compréhension

3 Dites si les phrases suivantes sont vraies ou fausses.

a. Léo s'inquiète en voyant Sarah tousser.

❏ Vrai   ❏ Faux

b. Raphaël est le médecin de Sarah.

❏ Vrai   ❏ Faux

c. Sarah fait un régime.

❏ Vrai   ❏ Faux

d. Un kinésithérapeute prend la tension de ses patients.

❏ Vrai   ❏ Faux

4 Choisissez la bonne réponse.

1. Sarah prétend tousser à cause...

a. des pollens.

b. des escaliers.

c. d'une poussière dans la gorge.

3. Parmi les symptômes de Sarah, il y a...

a. la fièvre.

b. la migraine.

c. les courbatures.

4. Raphaël conseille à Sarah de consulter...

a. un pneumologue.

b. un cardiologue.

c. un kinésithérapeute.

5. L'attitude de Sarah montre...

a. qu'elle est hypocondriaque.

b. qu'elle est accro aux médicaments.

c. qu'elle ne prend pas sa santé assez au sérieux.

Exploitation des vidéos

UNITÉ 5 Les voyages

Résumé :

Léo, Sarah et Raphaël racontent leur voyage, vécu ou rêvé, au Maroc.

OBJECTIFS

• Exprimer des regrets.
• Parler de l'avenir : parler de ses projets, exprimer une intention.

Activités d'observation

1 Dites si les phrases suivantes sont vraies ou fausses.

a. Léo, Sarah et Raphaël sont devant un carnet de voyages.

❏ Vrai   ❏ Faux

b. Raphaël porte une blouse blanche.

❏ Vrai   ❏ Faux

c. Sarah a les cheveux attachés.

❏ Vrai   ❏ Faux

d. Léo porte une cravate.

❏ Vrai   ❏ Faux

2 Choisissez la bonne réponse.

1. La première photo de voyage montre...

a. un hammam.

b. un paysage marocain.

c. Paris sous la neige.

2. Le gilet de Sarah est...

a. rouge.

b. bleu.

c. gris.

3. Léo, Sarah et Raphaël sont...

a. au centre de l'image.

b. à gauche de l'image.

c. à droite de l'image.

Activités de compréhension

3 Dites si les phrases suivantes sont vraies ou fausses.

a. Léo est déjà allé au Maroc.

❏ Vrai   ❏ Faux

b. Sarah aime rencontrer des gens différents.

❏ Vrai   ❏ Faux

c. Raphaël a travaillé comme médecin au Maroc.

❏ Vrai   ❏ Faux

d. Léo aimerait camper dans le désert.

❏ Vrai   ❏ Faux

4 Choisissez la bonne réponse.

1. Léo recherche surtout...

a. un climat agréable.

b. des sites touristiques à visiter.

c. des gens à rencontrer.

2. Raphaël préfère loger...

a. dans un ryad.

b. dans un hôtel trois étoiles.

c. chez l'habitant.

3. Sarah s'intéresse...

a. aux circuits touristiques habituels.

b. à l'artisanat local.

c. à l'architecture marocaine.

4. Léo veut visiter...

a. une mosquée.

b. les souks.

c. des musées.

Exploitation des vidéos

UNITÉ 6 La vie active

Résumé :

Raphaël rejoint Katia à son bureau, pour déjeuner. Il lui demande des nouvelles sur sa recherche d'un nouvel emploi.

Activités d'observation

1 Dites si les phrases suivantes sont vraies ou fausses.

a. Katia travaille sur un ordinateur portable.

❑ Vrai   ❑ Faux

b. Raphaël est assis dès le début.

❑ Vrai   ❑ Faux

c. Katia est à gauche de Raphaël.

❑ Vrai   ❑ Faux

d. Raphaël porte une cravate.

❑ Vrai   ❑ Faux

2 Choisissez la bonne réponse.

1. La porte du bureau est...

a. vert anis.

b. bleu roi.

c. rouge pourpre.

2. Sur le bureau de Katia, il y a...

a. une imprimante.

b. beaucoup de papiers.

c. un téléphone portable.

3. Sur le mur du fond, derrière Katia, il y a...

a. une affiche.

b. deux affiches.

c. trois affiches.

Activités de compréhension

3 Dites si les phrases suivantes sont vraies ou fausses.

a. Katia attend un appel important.

❑ Vrai   ❑ Faux

b. Raphaël pense que Katia ne devrait pas changer de travail.

❑ Vrai   ❑ Faux

c. Katia a déjà occupé plusieurs emplois.

❑ Vrai   ❑ Faux

d. Raphaël est pressé.

❑ Vrai   ❑ Faux

4 Choisissez la bonne réponse.

1. Katia a participé à...

a. une conférence.

b. un stage de formation.

c. un salon professionnel.

2. Katia demande à Raphaël...

a. de l'aide pour s'entraîner aux entretiens d'embauche.

b. de lui trouver un nouveau travail.

c. de ne pas se mêler de ses affaires.

3. La principale qualité de Katia est...

a. son relationnel.

b. sa capacité d'adaptation.

c. sa patience.

4. Pour son prochain emploi, Katia recherche...

a. la facilité.

b. le défi.

c. la polyvalence.

Lexique

Les mots sont suivis du numéro de la leçon dans laquelle ils apparaissent la première fois.

Abréviations : f = féminin ; m = masculin – **En gras :** les manières de dire.

(A)
1. abonné (m) 5
2. abordable 6
3. aboutir 18
4. absolument 14
5. accéder à... 22
6. accrocheur/se 11
7. accueil (m) 19
8. accuser 9
9. **acheter à crédit** 21
10. acquérir 6
11. acquis (m) 22
12. activité culturelle (f) 3
13. adapter (s') 24
14. adapté(e) 22
15. à disposition de... 16
16. administratif/ ive 18
17. admirer 1
18. affaire (f) 9
19. affronter 20
20. agglomération (f) 3
21. **à la carte** 18
22. à la rigueur 13
23. à l'extérieur de... 1
24. agneau (m) 7
25. ajouter 14
26. album (m) 11
27. **aller à la cueillette d'informations** 17
28. allergie (f) 14
29. **aller plus loin que** 5
30. allier 17
31. **allier l'utile et l'agréable** 18
32. alternatif/ive 19
33. alterner 22
34. amateur (m) 5
35. améliorer 16
36. aménager 24
37. amende (f) 2
38. ancré(e) (dans) 11
39. angoisser / s'angoisser 14
40. animation (f) 18
41. anticancéreux (m) 15
42. anxiété (f) 16
43. apparaître 1
44. appartenir 13
45. applaudir 11
46. apprenant(e) 22
47. apprentissage (m) 22
48. approche (f) 23
49. aptitude (f) 8
50. arnaquer 9
51. arrestation (f) 9
52. artère (f) 7
53. artisanat (m) 8
54. artiste (m ou f) 11
55. artistique 9
56. ascension (f) 11
57. aspirine (f) 15
58. assimiler 23
59. association (f) 8
60. assuré(e) 2
61. à taille humaine 3
62. à tout instant 21

63. à travers 4
64. attentif /attentive 15
65. attirer 12
66. attractif / attractive 6
67. attrait (m) 6
68. attrayant(e) 23
69. attribuer 12
70. aubaine (f) 2
71. audacieux/se 9
72. audience (f) 5
73. auditeur (m) / auditrice (f) 4
74. au fait 21
75. **au lieu de** 15
76. au point de... 9
77. ausculter 13
78. authentique 18
79. automatique 3
80. automobiliste (m ou f) 2
81. autonomie (f) 23
82. aux yeux de... 9
83. avant tout 10
84. aveugle 11
85. avisé(e) 6
86. à vive allure 4
87. avocat (m) 7
88. **avoir l'eau à la bouche (en)** 7
89. avoir l'impression de... / que... 16
90. **avoir mauvaise mine** 17
91. **avoir soif d'aventures** 17
(B)
92. baleine (f) 20
93. ballade (f) 11
94. bande-annonce (f) 12
95. banlieue (f) 1
96. banquette (f) 20
97. baptisé(e) / rebaptisé(e) 10
98. barre d'immeubles (f) 1
99. bâtiment (m) 1
100. beauté (f) 1
101. besoin (m) 10
102. bibliothèque (f) 10
103. bien (m) 3
104. **bien au chaud** 5
105. bien-être (m) 16
106. bienfait (m) 16
107. bien payé(e) 24
108. biscuit (m) 13
109. blouson (m) 17
110. **Bon !** 15
111. bondé(e) 4
112. bon marché 15
113. **bons plans** 6
114. boulevard (m) 1
115. bouleverser 12
116. bouquin (*familier*) (m) 8
117. bousculade (f) 4
118. bousculer 6
119. boutique (f) 4
120. brader 6
121. brebis (f) 7

122. bref 21
123. brosser les dents (se) 14
124. budget (m) 18
125. building (m) 4
(C)
126. cadet (m) 8
127. **Ça marche !** 13
128. camp / campement (m) 19
129. campagne (de publicité) (f) 2
130. canapé (m) 17
131. **ça nous a ouvert des portes** 11
132. cantine (f) 5
133. canton (m) 13
134. carrière (f) 20
135. **Ça se peut bien.** 13
136. **Ça vous dit qqch ?** 14
137. célébrer 5
138. centre commercial (m) 6
139. **ce n'est que deux ans plus tard que ...** 9
140. **C'est à vous !** 23
141. **c'est bon signe ≠ c'est mauvais signe** 5
142. **c'est (devenu) mission impossible** 2
143. **c'est dû à...** 12
144. **C'est du luxe !** 5
145. **C'est fou !** 17
146. **c'est génial** 5
147. **C'est la honte / C'est une honte** 19
148. **C'est plus facile à dire qu'à faire** 19
149. **C'est selon vos disponibilités.** 22
150. **c'est simplement impossible !** 2
151. **c'est un cadeau qui n'a pas de prix !** 10
152. **c'est un vrai bijou de composition** 11
153. chameau (m) 18
154. chasse (f) 6
155. chatter 22
156. chef d'entreprise 24
157. chef-d'œuvre (m) 9
158. choquer 9
159. cinéaste (m ou f) 12
160. classement (m) 5
161. cliché (m) 4
162. client(e) (m ou f) 23
163. climat (m) 18
164. code (m) 7
165. cohue (f) 6
166. collaboration (f) 11
167. collectionneur (m) 9
168. comédie musicale (f) 4
169. comique 12
170. commerce (m) 1
171. commercial(e) 12
172. communauté (f) 8
173. commune (f) 13
174. comparer 4

175. compétence (f) 23
176. compétition (f) 12
177. complice (m ou f) 9
178. comptabilité (f) 8
179. compte (en banque) (m) 21
180. concentration (f) 16
181. concilier 24
182. concurrence (f) 7
183. condamner 9
184. confectionner 7
185. confier 12
186. confronter 6
187. congés (m pl) 24
188. connaissance (f) 22
189. connecter (se) 22
190. consacrer 6
191. conscience (f) 8
192. conseil (m) 22
193. conseillé(e) 2
194. conseiller 10
195. considérer 10
196. consister (à/en) 17
197. consommateur (m) / consommatrice (f) 6
198. consommer 15
199. consultation (f) 13
200. consulter 13
201. conte (m) 10
202. contemporain(e) 10
203. contenu (m) 5
204. contestable 7
205. contester 7
206. contrainte (f) 23
207. contrepartie (f) 17
208. contribuer à 9
209. contrôler 14
210. convaincre 23
211. conversation (f) 4
212. convivialité (f) 8
213. corps (m) 16
214. corriger 22
215. couette (f) 5
216. courbature (f) 13
217. courriel (m) 22
218. coût (m) 18
219. couteau suisse (m) 17
220. créatif/créative 23
221. crèche (f) 24
222. **créer du lien** 10
223. critique (f) 10
224. croyance (f) 20
225. cueillette (f) 17
226. cultiver (se) 10
227. culture (f) 4
228. cumuler 5
229. curiosité (f) 17
(D)
230. dansant(e) 11
231. dans le cadre de ... 9
232. daube (f) 7
233. davantage 20
234. débarquer 20
235. débrouiller (se) 24
236. décalé 24

237. décerner (un prix) 12
238. décomplexé(e) 21
239. déçu(e) 18
240. dédier à... 9
241. défendre de qqch (de) 15
242. défi (m) 3
243. défiler 12
244. délai (m) 23
245. démarrer 6
246. dénicher 6
247. dénoncer 21
248. d'entre (eux / elles) 2
249. dépenser (de l'argent) 21
250. déplacement (m) 3
251. déplacer (se) 4
252. dérouler (se) 11
253. désert (m) 17
254. désormais 22
255. des petits riens 5
256. détendre (se) 1
257. détourner 5
258. détrôner 7
259. dette (f) 21
260. développement (m) 19
261. développer 23
262. diabète (m) 14
263. diagnostic (m) 16
264. dinde (f) 7
265. diplôme (m) 22
266. diriger 23
267. discothèque (f) 18
268. disponible 18
269. dispositif (m) 22
270. disputer un match amical (se) 4
271. distraire (se) 10
272. diversité (f) 3
273. divertir 10
274. domicile (m) 24
275. dominer 3
276. donner sur... 1
277. dos (m) 13
278. douceur (f) 5
279. doué(e) 20
280. dramatique 12
281. du jour au lendemain 13
282. du côté de... 15
283. duo (m) 11
284. durable 17
285. du strass et des paillettes 12
286. dynamique 6
E 287. échelle (f) 13
288. éclairé(e) 1
289. éclectique 11
290. écologie (f) 3
291. écologique 17
292. écran (m) 12
293. éditeur (m) 4
294. effacer 16
295. efficace 22
296. efficacité (f) 14
297. égalité (f) 21
298. élevé(e) 15
299. élever (s') 1
300. élogieux/se 10

301. éloigner 16
302. en épi 2
303. en hauteur 1
304. éloigner (s') 17
305. embarrassant(e) 21
306. emblématique 23
307. émotion (f) 10
308. employé(e) (m ou f) 24
309. en 6e/ en bonne position 5
310. en augmentation 6
311. en avoir marre de (qqch /qqn) 5
312. en cas d'urgence 14
313. en ce qui concerne... 12
314. en dehors de... 24
315. en fait 10
316. engagé(e) 11
317. en matière de... 12
318. en stock 6
319. encourager 22
320. énergie (f) 16
321. énervement (m) 16
322. enregistrer 11
323. enthousiasmer (s') 5
324. entourer (s') 5
325. entraider (s') 3
326. entraînant(e) 11
327. entraîner (s') 23
328. entre midi et deux (heures) 24
329. entrepreneur (m) 18
330. entretenir 8
331. envier 7
332. environnement (m) 7
333. épanoui(e) 8
334. épanouir (s') 24
335. épanouissant(e) 24
336. épanouissement (m) 8
337. épargne (f) 21
338. équilibrer 24
339. équipement (m) 24
340. équitable 17
341. espace vert (m) 3
342. espèce (f) 20
343. espoir (m) 6
344. étape (f) 19
345. état (m) 13
346. État-providence (m) 21
347. et inversement 23
G 348. être accro (familier) 15
349. être à la hauteur de 10
350. être à l'origine de 10
351. être attiré par... 4
352. être au courant (de qqch) 7
353. être bourré de talent (familier) 11
354. être convaincu 10
355. être couronné (par un prix) 11
356. être pendu au téléphone 8
357. être persuadé(e) 10
358. être rassuré(e) 14
359. évader (s') 10

360. éviter 2
361. évoluer 24
362. évoquer 23
363. exigence (f) 23
364. exprimer (s') 2
365. expatriation (f) 18
366. exploiter 9
367. explorateur / exploratrice (m ou f) 20
368. express 23
F 369. facture (f) 18
370. faire bonne impression 8
371. faire des chichis 7
372. faire plaisir (se) 10
373. faire ses comptes 21
374. fan (m ou f) 11
375. fantastique 10
376. faire attention les uns aux autres 3
377. fascinant(e) 4
378. fatal(e) 7
379. fatigue (f) 13
380. faussaire (m ou f) 9
381. féerique 8
382. ferme (f) 13
383. festival (m) 11
384. filer tête baissée 6
385. flâner 6
386. fleuve (m) 1
387. fonction (f) 10
388. fondateur / fondatrice (m ou f) 16
389. formateur / formatrice (m ou f) 22
390. formation à la carte / sur mesure / en ligne / à distance (f) 22
391. forme (f) 14
392. former (se) 22
393. formule (f) 17
394. fortune (f) 21
395. foule (f) 4
396. fragment (m) 5
397. frais / fraîche 7
398. fredonner 20
399. fréquentation (f) 12
400. fric (familier) (m) 21
401. fromage à tartiner (m) 5
G 402. gâchis (m) 19
403. gagner la sympathie de... 11
404. gagner une fortune 21
405. gain (m) 21
406. garer (se) 2
407. gêné(e) 21
408. généraliste (médecin) (m) 15
409. gingembre (m) 7
410. gîte (m) 17
411. gloire (f) 12
412. gorge (f) 18
413. gorgée (f) 5
414. gouffre (m) 20
415. graffiti (m) 1
416. graphiste (m) 4
417. gras / grasse 13

418. gratifiant(e) 23
419. gratte-ciel (m) 3
420. gravure (f) 8
421. grève (f) 17
422. grippe (f) 14
423. grotte (f) 7
424. guérir 13
H 425. habitude (mauvaise) (f) 15
426. hébergement (m) 19
427. héros / héroïne (m ou f) 9
428. homéopathie (f) 14
429. horaire (m) 14
430. horizontal(e) 2
431. hors du commun 9
432. hospitalier / hospitalière 15
433. hostile 20
434. houle (f) 20
435. humanitaire 19
436. humilié(e) 10
437. hybride 22
I 438. idée reçue (f) 14
439. idiot(e) 17
440. il en faut ≠ il n'en faut pas beaucoup 5
441. il est vrai que... 12
442. il fallait absolument que... 14
443. il faut dire que... 11
444. illustré(e) 4
445. il manque... 16
446. il vous reste à... 16
447. il s'agit de... 4
448. Il suffit de... 22
449. il vaut mieux en rire ! 2
450. imiter 9
451. immatériel(le) 7
452. immortaliser 9
453. impact (m) 17
454. impérial(e) 17
455. implication (f) 19
456. imposer 22
457. inattendu(e) 17
458. inciter à... 10
459. incontesté(e) 7
460. indignation (f) 9
461. industrie du cinéma (f) 12
462. industriel / industrielle (m ou f) 15
463. inégalité (f) 21
464. inestimable 9
465. influencer 11
466. informer (s') 10
467. initier 7
468. innovant(e) 23
469. inoubliable 18
470. insolite 17
471. inspirer 1
472. installer (s') 3
473. interdiction de stationner (f) 2
474. interlocuteur / interlocutrice (m ou f) 23
475. interminable 24
476. internaute (m ou f) 5
477. intitulé (m) 5

Lexique

478. intrigue (f) 10
479. introuvable 9
480. inventif/inventive 7
481. inverser 18
482. inverser les rôles 18
483. itinérant(e) 17
484. ivre 7
485. j'aimerais autant... 13
486. Je faisais ça pour t'aider. 15
487. Je ne suis pas sûr d'y arriver. 22
488. joggeur (m) / joggeuse (f) 4
489. jouer sur les mots 2
490. juger 9
491. jury (m) 12
492. justifier 9
493. la cérémonie d'ouverture 12
494. la culture numérique 12
495. la « Grosse Pomme » 4
496. laïcité (f) 8
497. la madeleine de Proust 5
498. la majorité de... 2
499. la montée des marches 12
500. lampadaire (m) 3
501. large 3
502. lauréat/lauréate (m ou f) 12
503. le café du coin 17
504. lecture (f) 10
505. le mystère reste entier 10
506. le principe selon lequel... 12
507. le rapport à l'argent 21
508. le sens du travail en équipe 23
509. le septième art 12
510. le tourisme de masse 18
511. Le tout, c'est de s'y mettre. 22
512. le train-train quotidien 17
513. les gestes à faire en cas d'urgence 14
514. libérer 9
515. lien (m) 10
516. liens sociaux (m pl) 8
517. lier d'amitié (se) 20
518. limité 6
519. liquide (de l'argent liquide / payer en liquide) (m) 21
520. littérature (f) 1
521. local(e) 19
522. localiser 14
523. logique (f) 19
524. loi (f) 7
525. long-métrage (m) 12
526. lors de 23

527. luxe (m) 4
528. maladie cardio-vasculaire (f) 14
529. malhonnête 9
530. manquer de... 24
531. marchand d'art (m) 9
532. marché (m) 15
533. marin (m) 20
534. masser 16
535. médecin (m) 13
536. médiatisé(e) 12
537. médiocre 21
538. méditation (f) 16
539. mélancolique 11
540. mélanger 18
541. mêler de qqch (se) 18
542. mélodie (f) 11
543. mélodramatique 10
544. mémoire (f) 10
545. ménage (m) 17
546. mener la grande vie 21
547. mentionner 23
548. méthodologique 22
549. métier (m) 23
550. métro, boulot, dodo ! 8
551. mettre à l'épreuve 12
552. mettre en cause / être mis en cause 15
553. mettre / être en observation 13
554. mettre en prison 9
555. mettre en valeur 23
556. mettre la main à la poche 6
557. mirobolant(e) (*familier*) 21
558. mobilité (f) 2
559. moine (m) 16
560. moyen de transport (m) 3
561. mode (f) 7
562. modernité (f) 10
563. modeste 21
564. module (m) 22
565. moisissure (f) 7
566. monotone 8
567. monsieur et madame tout le monde 5
568. monstre (m) 20
569. montagneux / montagneuse 17
570. morceau 11
571. motivation (f) 22
572. motivé(e) 20
573. motiver 23
574. mousse (f) 5
575. mouton (m) 7
576. municipal(e) 24
577. mur (m) 1
578. mutation (f) 12
579. mystérieux/se 7
580. Ne vous en faites pas ! 22
581. Ne vous y trompez pas ! 22
582. nier 7
583. niveau (m) 22
584. nocturne (f) 24

585. notable (m) 10
586. notamment 12
587. notoriété (f) 11
588. nutrition (f) 14
589. obliger 20
590. obtenir 12
591. occidental(e) 19
592. occuper une place majeure 12
593. œuvre (f) 9
594. offre (f) 22
595. oie (f) 7
596. On ne peut pas tout avoir ! 24
597. On va exploser le record ! (*familier*) 23
598. opposer 5
599. ordonnance (f) 13
600. organisme de formation (m) 22
601. outil (m) 22
602. Ouvre les yeux ! 19
603. paiement (m) 18
604. palais (m) 7
605. palais (m) 17
606. palper 13
607. parcours (professionnel) (m) 23
608. parking (m) 2
609. par la suite 11
610. paroles (d'une chanson) (f pl) 11
611. participer à... 16
612. partir du bon pied 5
613. passé(e) de mode (être) 7
614. passer de qqch (se) 13
615. passer un bon moment 10
616. passionné(e) (de) 9
617. pastille (f) 15
618. patient(e) (m ou f) 15
619. patienter 6
620. pâtisserie (f) 18
621. paupière (f) 20
622. pauvre 21
623. paysage (m) 1
624. peindre « à la manière de » 9
625. pendre 8
626. « pendulaire » (m) 2
627. pension (f) 17
628. périphérie (f) 1
629. permettre 2
630. personnage (m) 10
631. personnalité (f) 8
632. personnel (m) 16
633. persuader 7
634. persuasif / persuasive 23
635. pharmacie (f) 14
636. pied-noir 10
637. piéton / piétonne 3
638. pirate (m) 20
639. piratage (m) 12
640. planant(e) (*familier*) 11
641. plateau-repas (m) 5
642. plateforme (f) 22

643. plein(e) d'humour 2
644. pneumologue (m ou f) 16
645. poignée (f) 17
646. poésie (f) 1
647. polar (*familier*) (m) 10
648. polémique (f) 12
649. pollen (m) 14
650. pollution (f) 3
651. porcelaine (f) 8
652. possessif/possessive 5
653. poste (m) 23
654. pour rien au monde 11
655. praticien / praticienne (m ou f) 15
656. prendre conscience (de qqch) 8
657. prendre en compte 24
658. prendre qqch au second degré 17
659. prendre le temps de... 8
660. prendre son mal en patience 6
661. prendre un sacré risque (*familier*) 11
662. prescrire (des médicaments) 15
663. prévention (f) 15
664. présider 12
665. presse (f) 9
666. prestigieux/se 11
667. prêter à... (se) 23
668. primé(e) 11
669. principe (m) 7
670. prise (de médicaments) (f) 14
671. privilège (m) 7
672. privilégié(e) 7
673. prodigue 21
674. produire (se) 11
675. profiter 1
676. programmation (f) 11
677. progresser 22
678. projet (m) 23
679. prolonger (se) 24
680. promettre 18
681. provocation (f) 9
682. provoquer 9
683. proximité (f) 3
684. public (m) 5
685. puissant(e) 12
686. puits (m) 17
687. puritain(e) 21
688. quatre-heures (*familier*) (m) 5
689. queue (f) 6
690. quitter 3
691. racine (f) 18
692. radin(e) (*familier*) 21
693. raffinement (m) 7
694. rationnel/rationnelle 10
695. réalisateur (m) / réalisatrice (f) 12
696. récemment 12
697. recentrer (se) 16
698. réciter 23
699. récolte (f) 17

700. récompense (f) 9
701. récompenser 12
702. recruteur (m) 23
703. récupérer 8
704. rédiger 13
705. réduire 12
706. réflexion (f) 10
707. refrain (m) 11
708. réfugier (se) 10
709. régler (un appareil) 16
710. regret (m) 20
711. regroupement (m) 22
712. rejoindre 17
713. rembourser 21
714. remède (m) 13
715. remettre 9
716. remettre en question (se) 23
717. remporter (un prix) 11
718. rendre compte (se) 21
719. rendre service / rendre des petits services 17
720. renoncer à... 6
721. rénover 18
722. renvoyer 9
723. répartition (f) 19
724. reprendre son souffle 6
725. représenter 6
726. reprise (f) 8
727. reprocher 12
728. requin (m) 20
729. réseau (m) 24
730. réseaux sociaux (m pl) 12
731. réserver 5
732. réserver des surprises 5
733. respect (m) 19
734. respecter 19
735. respectif / respective 7
736. respirer 13
737. ressentir 16
738. ressource (f) 19
739. réussite (f) 23
740. révéler 21
741. revenir en force 6
742. richesse (f) 21
743. richissime 21
744. rideau de fer (m) 1
745. ridicule 5
746. risquer de... 22
747. rive (f) 1
748. rivière (f) 1
749. roman policier (m) 10
750. romantisme (m) 4
751. rompre 8
752. RTT (f) 24
753. rude 7
754. ruelle (f) 1
755. ryad (m) 18
756. rythme cardiaque (m) 14
(S) 757. sacrifier 24
758. salarié(e) (m ou f) 16
759. salle d'attente (f) 14
760. salle (de cinéma) (f) 12
761. s'apercevoir 8

762. s'assoupir 20
763. s'assurer de... 23
764. satisfaction (f) 20
765. sauver la vie de qqn 14
766. savane (f) 17
767. scandale (m) 9
768. scénario (m) 12
769. scène (f) 11
770. sécurisé(e) 18
771. sécurité (f) 3
772. se faire connaître 11
773. selon... 15
774. s'empresser de... 18
775. s'engager 20
776. séquestrer 9
777. sérénité (f) 16
778. s'habituer à... 22
779. sieste (f) 16
780. si je puis dire 20
781. sirop (m) 15
782. slogan (m) 2
783. social(e) 17
784. sofa (m) 16
785. soldes (m pl) 6
786. solidaire 19
787. solidarité (f) 17
788. solide 13
789. symbole (m) 17
790. solliciter 22
791. solution (f) 2
792. sondé 6
793. souci (m) 21
794. s'organiser (s') 24
795. soigner / se soigner 13
796. soucier de qqch ou de qqn (se) 17
797. souffle (m) 6
798. soupçonner 9
799. souple 24
800. soutenir 11
801. spécialiste (m ou f) 16
802. spécificité (f) 22
803. spectaculaire 9
804. square (m) 1
805. stationnement 2
806. stéréotype (m) 19
807. stock (m) 6
808. subtil(e) 7
809. suffisant(e) 22
810. superficiel/ superficielle 10
811. supplanter 7
812. suppositoire (m) 15
813. surfer (sur Internet) 12
814. sur la toile 12
815. sur mesure (du) 18
816. surprenant(e) 1
817. surprendre 16
(T) 818. tabou (m) 21
819. tâcher de... 13
820. tag (m) 1
821. talent (m) 11
822. talentueux/se 11
823. tartine (f) 5
824. taxi (m) 4
825. télécharger 22
826. témoigner 17

827. tendance (f) 17
828. tenir 5
829. tenir compte de... 23
830. tension (artérielle) (f) 14
831. tente (f) 17
832. tenter 5
833. territoire (m) 19
834. test d'évaluation (m) 22
835. thématique (f) 5
836. thermomètre (m) 15
837. tirer la langue 13
838. titrer 7
839. toile (f) 9
840. tomber à la renverse 13
841. toucher le gros lot / un salaire 21
842. tournée (f) 11
843. tout à fait 22
844. tousser 13
845. toutefois 23
846. tracasser (se) 15
847. tradition (f) 10
848. traditionnel / traditionnelle 18
849. traitement (m) 13
850. trajet (m) 24
851. traumatisant(e) 10
852. travail à temps plein / à temps partiel / à domicile (m) 24
853. travailleur (m) 24
854. trembler 5
855. tribu (f) 17
856. tricot (m) 8
857. tripes (f pl) 7
858. trottoir (m) 1
859. troublant(e) 12
860. troubles du sommeil (m pl) 16
861. trouver (se) 1
862. trouver son bonheur 8
863. trouver son compte (y) 8
864. truffe (f) 7
865. tube (m) 11
866. tuer à la tâche (se) (*familier*) 8
867. Tu ne vois pas que... 15
868. tuteur (m) 22
(U) 869. un acte de patriotisme 9
870. un échange de bonnes pratiques 22
871. un film à l'affiche 12
872. uniquement 23
873. un mouvement féministe 24
874. un parcours du combattant
875. un processus de concertation
876. un pur instant de bonheur (c'est) 16
877. une explosion de... 15
878. un moment magique (c'est) 16

879. une capacité d'adaptation 23
880. urbain(e) 3
881. urgence (f) 14
882. usager (m) 24
(V) 883. valeur (f) 21
884. vanter 7
885. Va plutôt me chercher (+ qqch) 15
886. vaste 24
887. vedette (f) 12
888. véhiculer (des clichés) 4
889. vendre ses qualités 2
890. vertical(e) 2
891. vider 6
892. vieux comme le monde 6
893. villageois(e) (m ou f) 19
894. Ville lumière (la) 4
895. virtuel / virtuelle 17
896. vitrier (m) 9
897. vitrine (f) 1
898. vocation (f) 8
899. voici encore un joli conte... 10
900. voir le jour 4
901. voire 11
902. vol (m) 9
903. Vous ne direz pas que... 13
904. Vous vous rendez compte ! 13

Glossary

In bold: figures of speech.

1. subscriber 5
2. affordable 6
3. to succeed 18
4. absolutely 14
5. to access... 22
6. eye catching 11
7. host 19
8. to accuse 9
9. **to buy on credit** 21
10. to acquire 6
11. acquisitions 22
12. cultural activity 3
13. to adapt 24
14. adapted 22
15. at the disposal of... 16
16. administrative 18
17. to admire 1
18. affair 9
19. to take on 20
20. metropolitan area 3
21. **à la carte** 18
22. possibly 13
23. outside... 1
24. lamb 7
25. to add 14
26. album 11
27. **to go fishing for information** 17
28. allergy 14
29. **to go further than** 5
30. to join, to mix 17
31. **to mix business with pleasure** 18
32. alternative 19
33. to alternate 22
34. amateur 5
35. to improve 16
36. to adjust 24
37. fine 2
38. rooted (in) 11
39. to cause anxiety / to become anxious 14
40. animation (f) 18
41. anticancer treatment 15
42. anxiety 16
43. to appear 1
44. to belong 13
45. to applaud 11
46. learner 22
47. learning 22
48. approach 23
49. aptitude 8
50. to swindle 9
51. arrest (f) 9
52. artery 7
53. crafts 8
54. artist 11
55. artistic 9
56. rise 11
57. aspirin 15
58. to assimilate 23
59. association 8
60. assured 2
61. on a human scale 3
62. at all times 21

63. across 4
64. attentive 15
65. to attract 12
66. attractive 6
67. appeal 6
68. appealing 23
69. attribute 12
70. a godsend 2
71. daring 9
72. audience 5
73. listener 4
74. in fact 21
75. **rather than** 15
76. to the point of... 9
77. to examine 13
78. authentic 18
79. automatic 3
80. motorist 2
81. autonomy 23
82. in the eyes of ... 9
83. above all 10
84. blind 11
85. astute 6
86. at high speed 4
87. avocado 7
88. **to whet one's appetite** 7
89. have the impression that... 16
90. **to look terrible** 17
91. **to be itching for adventure** 17
92. whale 20
93. ballade 11
94. movie trailer 12
95. suburb 1
96. bench 20
97. named / renamed 10
98. block of buildings 1
99. building 1
100. beauty 1
101. need 10
102. library 10
103. possession 3
104. **nice and warm** 5
105. well-being 16
106. benefit 16
107. well-paid 24
108. biscuit (m) 13
109. jacket 17
110. **Good!** 15
111. packed 4
112. cheap 15
113. **good ideas** 6
114. boulevard 1
115. to upset 12
116. book (*familiar*) 8
117. scramble 4
118. to shake up 6
119. shop 4
120. to sell cheaply 6
121. ewe 7
122. in short 21
123. to brush one's teeth 14
124. budget 18
125. building 4
126. cadet 8

127. **It works!** 13
128. camp / camp site 19
129. campaign (advertising) 2
130. sofa 17
131. **that opened up some doors for us** 11
132. cafeteria 5
133. canton 13
134. career 20
135. That could be. 13
136. Does that ring a bell? 14
137. to celebrate 5
138. shopping centre 6
139. **it wasn't until two years later...** 9
140. **It's up to you!** 23
141. **it's a good sign ≠ it's a bad sign** 5
142. **it's (it has become) mission impossible** 2
143. **it's due to...** 12
144. **What luxury!** 5
145. **That's wild!** 17
146. **that's great** 5
147. **I'm so ashamed / it's shameful** 19
148. **Easier said than done** 19
149. **Depending on your availability.** 22
150. **it's just impossible!** 2
151. **it's a priceless gift!** 10
152. **it's a real gem of a composition** 11
153. camel 18
154. hunt 6
155. to chat 22
156. entrepreneur 24
157. masterpiece 9
158. to shock 9
159. filmmaker 12
160. ranking 5
161. cliché 4
162. customer 23
163. climate 18
164. code 7
165. crowd 6
166. collaboration 11
167. collector 9
168. musical (n) 4
169. comical 12
170. a shop 1
171. commercial 12
172. community 8
173. municipality 13
174. to compare 4
175. skill 23
176. competition 12
177. accomplice 9
178. accounting 8
179. account (bank) 21
180. concentration 16
181. to reconcile 24
182. competition 7
183. to condemn 9
184. to make 7
185. to entrust 12

186. to confront 6
187. holidays 24
188. knowledge 22
189. to connect 22
190. to dedicate 6
191. awareness 8
192. advice 22
193. recommended 2
194. to advise 10
195. to consider 10
196. to consist (in) 17
197. consumer 6
198. to consume 15
199. consultation 13
200. to consult 13
201. fairy tale 10
202. contemporary 10
203. content 5
204. disputable 7
205. to dispute 7
206. constraint 23
207. counterpart 17
208. to contribute to 9
209. to control 14
210. to convince 23
211. conversation 4
212. conviviality 8
213. body 16
214. to correct 22
215. quilt 5
216. aches 13
217. e-mail 22
218. cost 18
219. Swiss army knife 17
220. creative 23
221. childcare centre 24
222. **to create a link** 10
223. critique 10
224. belief 20
225. gathering 17
226. **to cultivate one's mind** 10
227. culture 4
228. to accumulate 5
229. curiosity 17
230. dancing 11
231. in the context of... 9
232. daube 7
233. more 20
234. to disembark 20
235. to manage to 24
236. staggered (shifts) 24
237. to award (a prize) 12
238. uninhibited 21
239. disappointed 18
240. dedicated to... 9
241. to defend (from) 15
242. challenge 3
243. to scroll 12
244. deadline 23
245. to start 6
246. to find 6
247. to denounce 21
248. of them 2
249. to spend (money) 21
250. travel 3
251. to travel 4
252. to take place 11

253. desert 17
254. from now on 22
255. little nothings 5
256. to relax 1
257. to divert 5
258. to dethrone 7
259. debt 21
260. development (m) 19
261. to develop 23
262. diabetes 14
263. diagnosis 16
264. turkey 7
265. diploma 22
266. to direct 23
267. discotheque 18
268. available 18
269. system 22
270. to play a friendly match 4
271. to have fun 10
272. diversity 3
273. to entertain 10
274. home 24
275. to dominate 3
276. to look over... 1
277. back 13
278. mellowness 5
279. gifted 20
280. dramatic 12
281. over night 13
282. alongside... 15
283. duo 11
284. sustainable 17
285. glitz and glitter 12
286. dynamic 6
287. ladder 13
288. lit 1
289. eclectic 11
290. ecology 3
291. ecological 17
292. screen 12
293. publisher 4
294. to erase 16
295. effective 22
296. effectiveness 14
297. equality 21
298. high 15
299. to rise 1
300. laudatory 10
301. to move away 16
302. angled parking 2
303. on the heights 1
304. to move away 17
305. embarrassing 21
306. emblematic 23
307. emotion 10
308. employee 24
309. in 6th/ in a good position 5
310. on the rise 6
311. to be fed up with 5
312. in case of emergency 14
313. concerning... 12
314. outside 24
315. in fact 10
316. committed 11
317. regarding... 12

318. in stock 6
319. to encourage 22
320. energy 16
321. irritation 16
322. to record 11
323. to be enthusiastic 5
324. to surround oneself 5
325. to help each other 3
326. catchy 11
327. to practice 23
328. at lunchtime 24
329. entrepreneur 18
330. to maintain 8
331. to envy 7
332. environment 7
333. fulfilled 8
334. to flourish 24
335. fulfilling 24
336. personal growth 8
337. savings 21
338. to balance 24
339. equipment 24
340. fair 17
341. green area 3
342. species 20
343. hope 6
344. stage 19
345. condition 13
346. welfare state 21
347. and vice versa 23
348. to be addicted to (familiar) 15
349. to measure up to 10
350. to be at the origin of 10
351. to be attracted by ... 4
352. to know about (something) 7
353. to be full of talent (familiar) 11
354. to be convinced 10
355. to win an award 11
356. to be hooked on the telephone 8
357. to be convinced 10
358. to be reassured 14
359. to get away 10
360. to avoid 2
361. to evolve 24
362. to evoke 23
363. demand 23
364. to express (oneself) 2
365. expatriation 18
366. to exploit 9
367. explorer 20
368. express 23
369. invoice 18
370. to make a good impression 8
371. to make a fuss 7
372. to treat oneself (to) 10
373. to do one's accounts 21
374. fan 11
375. fantasy 10
376. to look out for one another 3

377. fascinating 4
378. deadly 7
379. fatigue 13
380. counterfeiter 9
381. magical 8
382. farm 13
383. festival 11
384. to charge head first 6
385. to stroll 6
386. river 1
387. function 10
388. founder 16
389. teacher 22
390. à la carte / customised / on-line / distance learning 22
391. shape 14
392. to take a course 22
393. package 17
394. fortune 21
395. crowd 4
396. fragment 5
397. fresh 7
398. to hum 20
399. attendance 12
400. cash (familiar) 21
401. cheese spread 5
402. mess 19
403. to win someone over... 11
404. to make a fortune 21
405. profit 21
406. to park 2
407. embarrassed 21
408. general practitioner (physician) 15
409. ginger 7
410. bed and breakfast 17
411. glory 12
412. gorge 18
413. mouthful 5
414. abyss 20
415. graffiti 1
416. graphic artist 4
417. fat 13
418. rewarding 23
419. skyscraper 3
420. engraving 8
421. strike 17
422. flu 14
423. cave 7
424. to cure 13
425. habit (bad) 15
426. lodgings 19
427. hero 9
428. homeopathy 14
429. time 14
430. horizontal 2
431. unusual 9
432. hospital 15
433. hostile 20
434. swell 20
435. humanitarian 19
436. humiliated 10
437. hybrid 22
438. preconceived notion 14
439. stupid 17

440. we need some ≠ we don't need much 5
441. it is true that... 12
442. it was absolutely necessary to... 14
443. I must say that... 11
444. illustrated 4
445. what's missing is... 16
446. all you have left to do... 16
447. it is a question of... 4
448. all you have to do is... 22
449. just laugh it off! 2
450. to imitate 9
451. immaterial 7
452. to immortalise 9
453. impact 17
454. imperial 17
455. involvement 19
456. to impose 22
457. unexpected 17
458. to encourage to 10
459. uncontested 7
460. indignation 9
461. film industry 12
462. industrial 15
463. inequality 21
464. inestimable 9
465. to influence 11
466. to get informed 10
467. to initiate 7
468. innovative 23
469. unforgettable 18
470. unusual 17
471. to inspire 1
472. to move in 3
473. no parking 2
474. interlocutor 23
475. endless 24
476. internet user 5
477. title 5
478. story line 10
479. missing 9
480. inventive 7
481. to reverse 18
482. to reverse the roles 18
483. roaming 17
484. drunk 7
485. I'd rather... 13
486. I did that to help you. 15
487. I'm not sure I can do it. 22
488. jogger 4
489. to play with words 2
490. to judge 9
491. jury 12
492. to justify 9
493. the opening ceremony 12
494. the digital culture 12
495. the "Big Apple" 4
496. secularism 8
497. Proust's madeleine 5
498. most of... 2

Glossary

499. **walking down the red carpet** 12
500. lamppost (m) 3
501. wide 3
502. award-winner 12
503. **the corner café** 17
504. reading 10
505. **it remains a mystery** 10
506. **the principle according to which...** 12
507. **the attitude toward money** 21
508. **a sense of teamwork** 23
509. **the seventh art** 12
510. **mass tourism** 18
511. **The hardest part is to get started.** 22
512. **the everyday routine** 17
513. **what to do in case of an emergency** 14
514. to free 9
515. connection 10
516. social bonds 8
517. **to form a friendship** 20
518. limited 6
519. cash (cash money / to pay cash) 21
520. literature 1
521. local 19
522. to locate 14
523. logic 19
524. law 7
525. feature film 12
526. during 23
527. luxury 4
528. cardiovascular disease 14
529. dishonest 9
530. to lack 24
531. art dealer 9
532. market 15
533. sailor 20
534. to massage 16
535. doctor 13
536. publicized 12
537. mediocre 21
538. meditation 16
539. melancholic 11
540. to mix 18
541. to interfere in something 18
542. melody 11
543. melodramatic 10
544. memory 10
545. household 17
546. **to lead the good life** 21
547. to mention 23
548. methodological 22
549. profession 23
550. **the daily grind!** 8
551. **to put to the test** 12
552. to hold liable / to be held liable 15
553. to place / to be under observation 13
554. **to put in prison** 9

555. to highlight 23
556. **to shell out some money** 6
557. fabulous (*familiar*) 21
558. mobility 2
559. monk 16
560. means of transport 3
561. fashion 7
562. modernity 10
563. modest 21
564. module 22
565. mould 7
566. monotonous 8
567. **Everyman and Everywoman** 5
568. monster 20
569. mountainous 17
570. piece 11
571. motivation 22
572. motivated 20
573. to motivate 23
574. mousse 5
575. mutton 7
576. municipal 24
577. wall 1
578. change 12
579. mysterious 7
580. **Don't worry!** 22
581. **Make no mistake about it!** 22
582. to deny 7
583. level 22
584. evening hours 24
585. respected resident 10
586. notably 12
587. reputation 11
588. nutrition 14
589. to impose 20
590. to obtain 12
591. western 19
592. **hold a major place** 12
593. work 9
594. offer 22
595. goose 7
596. **You can't have everything!** 24
597. **They're going to smash the record! (*familiar*)** 23
598. to oppose 5
599. prescription 13
600. training organisation 22
601. tool 22
602. **Open your eyes!** 19
603. payment 18
604. palate 7
605. palace 17
606. to palpate 13
607. path (career) 23
608. car park 2
609. then 11
610. words (to a song) 11
611. to participate in... 16
612. **to get off to a good start** 5
613. **gone out of style (it has)** 7

614. to get along without (something) 13
615. **to have a good time** 10
616. enthusiastic (about) 9
617. lozenge 15
618. patient 15
619. to wait 6
620. pastry 18
621. eyelid 20
622. poor 21
623. landscape 1
624. **to paint "in the style of"** 9
625. to hang 8
626. "pendulum" 2
627. boarding house 17
628. outskirts 1
629. to allow 2
630. character 10
631. personality 8
632. personnel 16
633. to persuade 7
634. persuasive 23
635. pharmacy 14
636. pied-noir 10
637. pedestrian 3
638. pirate 20
639. pirating 12
640. spacey (*familiar*) 11
641. meal tray 5
642. platform 22
643. **a good sense of humour** 2
644. pneumologist 16
645. handful 17
646. poetry 1
647. whodunit (*familiar*) 10
648. controversy 12
649. pollen 14
650. pollution 3
651. porcelain 8
652. possessive 5
653. position 23
654. **for nothing in the world** 11
655. practitioner 15
656. **to become aware (of something)** 8
657. to take into account 24
658. **to take something tongue-in-cheek** 17
659. **to take the time to...** 8
660. **to grin and bear it** 6
661. **to take a hell of a risk (*familiar*)** 11
662. to prescribe (medication) 15
663. prevention 15
664. to preside (over) 12
665. press 9
666. prestigious 11
667. to lend itself to... 23
668. award-winning 11
669. principle 7
670. taking (medication) 14
671. privilege 7

672. privileged 7
673. extravagant 21
674. to perform 11
675. to take advantage of 1
676. programming 11
677. to progress 22
678. project 23
679. to extend 24
680. to promise 18
681. provocation 9
682. to provoke 9
683. proximity 3
684. public 5
685. powerful 12
686. well 17
687. puritan 21
688. after-school snack (*familiar*) 5
689. queue 6
690. to leave 3
691. root 18
692. stingy (*familiar*) 21
693. sophistication 7
694. rational 10
695. director 12
696. recently 12
697. to focus on 16
698. to recite 23
699. harvest 17
700. to reward 9
701. to reward 12
702. recruiter 23
703. to retrieve 8
704. to write 13
705. to reduce 12
706. reflection 10
707. chorus 11
708. to take refuge 10
709. to adjust (a device) 16
710. regret 20
711. grouping 22
712. to reach 17
713. to reimburse 21
714. remedy 13
715. to return 9
716. to challenge (oneself) 23
717. to win (a prize) 11
718. to realise 21
719. **to do a favour / to give a helping hand** 17
720. to give up 6
721. to renovate 18
722. to fire (someone) 9
723. distribution 19
724. **to catch one's breath** 6
725. to represent 6
726. recovery 8
727. to reproach 12
728. shark 20
729. network 24
730. social networks 12
731. to reserve 5
732. **to take by surprise** 5
733. respect 19
734. to respect 19

Glossary

735. respective 7
736. to breathe 13
737. to feel 16
738. resource 19
739. success 23
740. to reveal 21
741. **to come back strong** 6
742. wealth 21
743. super-rich 21
744. iron curtain 1
745. ridiculous 5
746. to risk 22
747. bank (river) 1
748. river 1
749. detective novel 10
750. romanticism 4
751. to break 8
752. comp time 24
753. stiff 7
754. alley 1
755. riad 18
756. heart rate 14
757. to sacrifice 24
758. employee 16
759. waiting room 14
760. theatre (cinema) 12
761. to notice 8
762. to doze off 20
763. to make sure that... 23
764. satisfaction 20
765. to save someone's life 14
766. savannah 17
767. scandal 9
768. scenario 12
769. scene 11
770. secured 18
771. security 3
772. to make a name for oneself 11
773. according to... 15
774. to rush to... 18
775. to sign up 20
776. sequester 9
777. serenity 16
778. to get used to... 22
779. siesta 16
780. **if I may say so** 20
781. syrup 15
782. slogan 2
783. social 17
784. sofa 16
785. sales 6
786. solidarity-based 19
787. solidarity 17
788. solid 13
789. symbol 17
790. to request 22
791. solution 2
792. polled 6
793. concern 21
794. to get organised 24
795. to seek treatment / to get treatment 13
796. to worry about something or someone 17
797. breath 6
798. to suspect 9

799. flexible 24
800. to support 11
801. specialist 16
802. unique feature 22
803. spectacular 9
804. square 1
805. parking 2
806. stereotype 19
807. stock 6
808. subtle 7
809. sufficient 22
810. superficial 10
811. to replace 7
812. suppository 15
813. to surf (the internet) 12
814. **on the web** 12
815. **tailor-made** 18
816. surprising 1
817. to surprise 16
818. taboo 21
819. to try to... 13
820. tag 1
821. talent 11
822. talented 11
823. open sandwich 5
824. taxi 4
825. to download 22
826. to testify 17
827. trend 17
828. to hold 5
829. to take into account ... 23
830. blood pressure 14
831. tent 17
832. to attempt 5
833. territory 19
834. assessment test 22
835. theme 5
836. thermometer 15
837. to stick out one's tongue 13
838. to title 7
839. painting 9
840. **to fall over backwards** 13
841. **to hit the jackpot** 21
842. tour 11
843. absolutely 22
844. to cough 13
845. however 23
846. to fret 15
847. tradition 10
848. traditional 18
849. treatment 13
850. trip 24
851. traumatic 10
852. full time/part time/home job 24
853. worker 24
854. to tremble 5
855. tribe 17
856. knitting 8
857. tripe 7
858. pavements 1
859. troubling 12
860. sleep disorders 16
861. to find oneself 1
862. **to find what your looking for** 8

863. **there's something for everyone** 8
864. truffle 7
865. a hit 11
866. **to work oneself to death** (*familiar*) 8
867. **Can't you see that...** 15
868. tutor 22
869. **an act of patriotism** 9
870. **an exchange of good practices** 22
871. **a film that is currently playing** 12
872. only 23
873. **a feminist movement** 24
874. **an obstacle course**
875. **a consensus-building process**
876. **a moment of sheer joy (it's)** 16
877. **an explosion of...** 15
878. **a magic moment (it's)** 16
879. **a capacity to adapt** 23
880. urban 3
881. emergency 14
882. user 24
883. value 21
884. to brag 7
885. **Why don't you go get me (something)** 15
886. vast 24
887. star 12
888. to spread (clichés) 4
889. to sell one's qualities 2
890. vertical 2
891. to empty 6
892. **as old as the world itself** 6
893. villager 19
894. **City of Light (the)** 4
895. virtual 17
896. glazier 9
897. display window 1
898. vocation 8
899. **here is another pleasant tale...** 10
900. to see the light of day 4
901. or even 11
902. theft 9
903. **You wouldn't say that...** 13
904. **Do you realize!** 13

Léxico

1. abonado (m) 5
2. abordable 6
3. alcanzar 18
4. completamente 14
5. acceder a ... 22
6. tenaz 11
7. bienvenido (m) 19
8. acusar 9
9. **comprar a crédito** 21
10. adquirir 6
11. adquirido (m) 22
12. actividad cultural (f) 3
13. adaptarse 24
14. adaptado (a) 22
15. a disposición de ... 16
16. administrativo/a 18
17. admirar 1
18. asunto (m) 9
19. afrontar 20
20. aglomeración (f) 3
21. **a la carta** 18
22. si acaso 13
23. fuera de... 1
24. cordero (m) 7
25. añadir 14
26. álbum (m) 11
27. **recopilar información** 17
28. alergia (f) 14
29. **ir más allá de** 5
30. unir 17
31. **unir lo útil a lo agradable** 18
32. alternativo/a 19
33. alternar 22
34. aficionado (m) 5
35. mejorar 16
36. acondicionar 24
37. multa (f) 2
38. anclado(a) (en) 11
39. angustiarse 14
40. animación (f) 18
41. anticancerígeno (m) 15
42. ansiedad (f) 16
43. aparecer 1
44. pertenecer 13
45. aplaudir 11
46. aprendiz 22
47. aprendizaje (m) 22
48. aproximación (f) 23
49. aptitud (f) 8
50. estafar 9
51. arresto (m) 9
52. arteria (f) 7
53. artesano (m) 8
54. artista (m o f) 11
55. artístico 9
56. ascensión (f) 11
57. aspirina (f) 15
58. asimilar 23
59. asociación (f) 8
60. asegurado(a) 2
61. de talla humana 3
62. en cualquier momento 21
63. a través de 4
64. atento / atenta 15
65. atraer 12
66. atractivo / atractiva 6

67. atracción (f) 6
68. atractivo(a) 23
69. atribuir 12
70. ganga (f) 2
71. audaz 9
72. audiencia (f) 5
73. auditor (m) / auditora (f) 4
74. A propósito 21
75. **en lugar de** 15
76. hasta el punto de ... 9
77. auscultar 13
78. auténtico 18
79. automático 3
80. automovilista (m o f) 2
81. autonomía (f) 23
82. a ojos de... ... 9
83. ante todo 10
84. ciego 11
85. sagaz 6
86. a gran velocidad 4
87. abogado (m) 7
88. **tener la miel en la boca** 7
89. que....tener la impresión de... / que...... 16
90. **tener mala cara** 17
91. **tener sed de aventuras** 17
92. ballena (f) 20
93. balada (f) 11
94. tráiler (m) 12
95. afueras (f) 1
96. banqueta (f) 20
97. bautizado(a) / rebautizado(a) 10
98. barra de edificios (f) 1
99. edificio (m) 1
100. belleza (f) 1
101. necesidad (f) 10
102. biblioteca (f) 10
103. bien (m) 3
104. **bien caliente** 5
105. bienestar (m) 16
106. beneficio (m) 16
107. bien pagado(a) 24
108. galleta (f) 13
109. cazadora (f) 17
110. **¡Bueno!** 15
111. Abarrotado(a) 4
112. barato 15
113. **buenos planes** 6
114. bulevar (m) 1
115. trastornar 12
116. libro (m) 8
117. empujón (f) 4
118. empujar 6
119. tienda (f) 4
120. liquidar 6
121. oveja (f) 7
122. breve 21
123. cepillarse 14
124. presupuesto (m) 18
125. edificio grande (m) 4
126. menor (m) 4
127. ¡Esto funciona! 13
128. campo / campamento (m) 19

129. campaña (de publicidad) (f) 2
130. sofá (m) 17
131. **esto nos abrió puertas** 11
132. comedor (m) 5
133. cantón (m) 13
134. carrera (f) 20
135. Puede que sí. 13
136. ¿le dice algo? 14
137. celebrar 5
138. centro comercial (m) 6
139. **Sólo dos años más tarde ...** 9
140. **¡Le toca!!** 23
141. **es buena señal ≠ es mala señal** 5
142. **se ha convertido en misión imposible/ es misión imposible** 2
143. **es debido a ...** 12
144. **¡es un lujo!** 5
145. **¡es una locura!** 17
146. **es genial** 5
147. **qué vergüenza / Es una vergüenza** 19
148. **Es más fácil decir que hacer** 19
149. **Según su disponibilidad.** 22
150. **¡Es sencillamente imposible!** 2
151. **¡Es un regalo que no tiene precio!** 10
152. **Es una auténtica joya de composición** 11
153. camello (m) 18
154. caza (f) 6
155. chatear 22
156. jefe de empresa 24
157. obra maestra (f) 9
158. chocar 9
159. cineasta (m o f) 12
160. clasificación (f) 5
161. cliché (m) 4
162. cliente(a) (m o f) 23
163. clima (m) 18
164. código (m) 7
165. tropel (m) 6
166. colaboración (f) 11
167. coleccionista (m) 9
168. comedia musical (f) 4
169. cómico 12
170. comercio (m) 1
171. comercial 12
172. comunidad (f) 8
173. municipio (f) 13
174. comparar 4
175. competencia (f) 23
176. competición (f) 12
177. cómplice (m o f) 9
178. contabilidad (f) 8
179. cuenta (en banco) (f) 21
180. concentración (f) 16
181. conciliar 24
182. competencia (f) 7
183. condenar 9

184. confeccionar 7
185. confiar 12
186. confrontar 6
187. vacaciones (F pl) 24
188. conocimiento (m) 22
189. conectarse 22
190. dedicar 6
191. consciencia (f) 8
192. consejo (m) 22
193. asesorado(a) 2
194. aconsejar 10
195. considerar 10
196. consistir (en) 17
197. consumidor (m) / consumidora (f) 6
198. consumir 15
199. consulta (f) 13
200. consultar 13
201. cuento (m) 10
202. contemporáneo (a) 10
203. contenido (m) 5
204. impugnable 7
205. impugnar 7
206. obligación (f) 23
207. contrapartida (f) 17
208. contribuir a 9
209. controlar 14
210. convencer 23
211. conversación (f) 4
212. buena convivencia (f) 8
213. cuerpo (m) 16
214. corregir 22
215. edredón (f) 5
216. curvatura (f) 13
217. correo (m) 22
218. coste (m) 18
219. cuchillo suizo (m) 17
220. creativo / creativa 23
221. guardería (f) 24
222. **crear un vínculo** 10
223. crítica (f) 10
224. creencia (f) 20
225. cosecha (f) 17
226. cultivarse 10
227. cultivo (f) 4
228. acumular 5
229. curiosidad (f) 17
230. bailador(a) 11
231. en el ámbito de... 9
232. adobo (m) 7
233. más 20
234. desembarcar 20
235. desenvolverse 24
236. cambiado 24
237. conceder (un premio) 12
238. desacomplejado (a) 21
239. decepcionado(a) 18
240. dedicar a... 9
241. defenderse de algo 15
242. desafío (m) 3
243. desfilar 12
244. plazo (m) 23
245. empezar 6
246. descubrir 6
247. denunciar 21
248. de entre (ellos / ellas) 2
249. gastar (dinero) 21

250. desplazamiento (m) 3
251. desplazar(se) 4
252. desarrollarse 11
253. desierto (m) 17
254. a partir de ahora 22
255. **pequeñeces** 5
256. relajarse 1
257. rodear 5
258. destronar 7
259. deuda (f) 21
260. desarrollo (m) 19
261. desarrollar 23
262. diabetes (f) 14
263. diagnóstico (m) 16
264. pavo (m) 7
265. diploma (m) 22
266. dirigir 23
267. discoteca (f) 18
268. disponible 18
269. dispositivo (m) 22
270. **disputar un partido amistoso** 4
271. distraerse 10
272. diversidad (f) 3
273. divertir 10
274. domicilio (m) 24
275. dominar 3
276. dar a... 1
277. espalda (f) 13
278. suavidad (f) 5
279. dotado(a) 20
280. dramático 12
281. **de un día para otro** 13
282. al lado de... 15
283. dúo (m) 11
284. duradero 17
285. **strass y lentejuelas** 12
286. dinámico 6
287. escala (f) 13
288. iluminado(a) 1
289. ecléctico 11
290. ecología (f) 3
291. ecológico 17
292. pantalla (f) 12
293. editor (m) 4
294. borrar 16
295. eficaz 22
296. eficacia (f) 14
297. igualdad (f) 21
298. alumno(a) 15
299. levantarse 1
300. elogioso/a 10
301. alejar 16
302. en espiga 2
303. en altura 1
304. alejarse 17
305. embarazoso(a) 21
306. emblemático 23
307. emoción (f) 10
308. empleado(a) (m o f) 24
309. **en 6ª / en buena posición** 5
310. **en aumento** 6
311. **estar harto de (algo / alguien)** 5
312. en caso de emergencia 14

313. en lo que concierne ... 12
314. fuera de 24
315. en realidad 10
316. comprometido (a) 11
317. **en materia de...** 12
318. **en stock** 6
319. animar 22
320. energía (f) 16
321. nerviosismo (m) 16
322. registrar 11
323. entusiasmarse 5
324. rodearse 5
325. ayudarse mutuamente 3
326. convincente 11
327. entrenarse 23
328. **entre las doce del mediodía y las dos (horas)** 24
329. emprendedor (m) 18
330. mantener 8
331. envidiar 7
332. entorno (m) 7
333. abierto(a) 8
334. abrirse 24
335. pleno(a) 24
336. plenitud (m) 8
337. ahorro (m) 21
338. equilibrar 24
339. equipamiento (m) 24
340. equitativo 17
341. espacio verde (m) 3
342. especie (m) 20
343. esperanza (f) 6
344. etapa (f) 19
345. estado (m) 13
346. Estado-providencia (m) 21
347. y al contrario 23
348. **ser fanático** 15
349. **estar a la altura de** 10
350. **estar en el origen de** 10
351. estar atraído por... ... 4
352. **estar al corriente (de algo)** 7
353. **rebosar talento** 11
354. estar convencido 10
355. **ser coronado (por un premio)** 11
356. **estar colgado al teléfono** 8
357. estar convencido 10
358. ser tranquilizado(a) 14
359. evadirse 10
360. evitar 2
361. evolucionar 24
362. evocar 23
363. exigencia (f) 23
364. expresarse 2
365. expatriación (f) 18
366. explotar 9
367. explorador / exploradora (m o f) 20
368. exprés 23
369. factura (f) 18
370. **causar buena impresión** 8

371. **hacer cursilerías** 7
372. darse un gusto 10
373. **echar sus cuentas** 21
374. fan (m o f) 11
375. fantástico 10
376. **cuidarse los unos a los otros** 3
377. fascinante 4
378. fatal 7
379. cansancio (m) 13
380. falsificador(a) (m o f) 9
381. mágico 8
382. granja (f) 13
383. festival (m) 11
384. **irse con la cabeza gacha** 6
385. vagar 6
386. río (m) 1
387. función (f) 10
388. fundador / fundadora (m o f) 16
389. formador / formadora (m o f) 22
390. formación a la carta / a la medida / en línea / a distancia (f) 22
391. forma (f) 14
392. formarse 22
393. fórmula (f) 17
394. fortuna (f) 21
395. multitud (f) 4
396. fragmento (m) 5
397. fresco / fresca 7
398. tararear 20
399. frecuencia (f) 12
400. pasta (coloquial) (f) 21
401. queso de untar (m) 5
402. derroche (m) 19
403. **ganarse la simpatía de...** 11
404. **ganar una fortuna** 21
405. ganancia (f) 21
406. estacionarse 2
407. molesto(a) 21
408. médico de familia (m) 15
409. jengibre (m) 7
410. casa rural (f) 17
411. gloria (f) 12
412. garganta (f) 18
413. trago (m) 5
414. abismo (m) 20
415. graffiti (m) 1
416. grafista (m) 4
417. graso / grasa 13
418. gratificante 23
419. rascacielos (m) 3
420. grabado (m) 8
421. huelga (f) 17
422. gripe (f) 14
423. gruta (f) 7
424. curar 13
425. hábito (mal) (m) 15
426. alojamiento (m) 19
427. héroe / heroína (m o f) 9
428. homeopatía (f) 14
429. horario (m) 14
430. horizontal 2

431. fuera de lo común 9
432. hospitalario / hospitalaria 15
433. hostil 20
434. marejadilla (f) 20
435. humanitario 19
436. humillado(a) 10
437. híbrido 22
438. idea recibida (f) 14
439. idiota 17
440. **es necesario ≠ no es necesario mucho** 5
441. **es cierto que...** 12
442. **era realmente necesario que...** 14
443. **hay que decir que...** 11
444. ilustrado(a) 4
445. **falta...** 16
446. **tenéis que...** 16
447. **se trata de...** 4
448. **Basta con...** 22
449. **¡Es mejor reírse de ello!** 2
450. imitar 9
451. inmaterial 7
452. inmortalizar 9
453. impacto (m) 17
454. imperial 17
455. implicación (f) 19
456. imponer 22
457. inesperado(a) 17
458. incitar a 10
459. indiscutible 7
460. indignación (f) 9
461. industria del cine (f) 12
462. industrial (m o f) 15
463. desigualdad (f) 21
464. inestimable 9
465. influir 11
466. informarse 10
467. iniciar 7
468. innovador(a) 23
469. inolvidable 18
470. insólita 17
471. inspirar 1
472. instalarse 3
473. prohibición de estacionar (f) 2
474. interlocutor / interlocutora (m o f) 23
475. interminable 24
476. internauta (m o f) 5
477. título (m) 5
478. intriga (f) 10
479. imposible encontrar 9
480. inventivo / inventiva 7
481. invertir 18
482. **invertir los papeles** 18
483. itinerante 17
484. ebrio 7
485. **me gustaría tanto...** 13
486. **Hacía esto por ayudarte.** 15
487. **No estoy seguro de lograrlo.** 22

488. Corredor (m) / corredora (f) 4
489. jugar con las palabras 2
490. juzgar 9
491. jurado (m) 12
492. justificar 9
493. la ceremonia de inauguración 12
494. la cultura digital 12
495. la "Gran Manzana" 4
496. laicidad (f) 8
497. la magdalena de Proust 5
498. la mayoría de... 2
499. la subida de la escalera 12
500. farola (f) 3
501. ancho 3
502. laureado / laureada (m o f) 12
503. el bar de la esquina 17
504. lectura (f) 10
505. el misterio continua 10
506. el principio según el cual... 12
507. la relación con el dinero 21
508. el sentido del trabajo en equipo 23
509. el séptimo arte 12
510. el turismo de masas 18
511. Todo es ponerse. 22
512. La rutina diaria 17
513. los gestos que hacer en caso de emergencia 14
514. liberar 9
515. vínculo (m) 10
516. vínculos sociales (m pl) 8
517. establecer amistad 20
518. límite 6
519. efectivo (dinero efectivo / pagar en efectivo) (m) 21
520. literatura (f) 1
521. kicak local 19
522. localizar 14
523. lógica (f) 19
524. ley (f) 7
525. largometraje (m) 12
526. durante 23
527. lujo (m) 4
528. enfermedad cardiovascular (f) 14
529. deshonesto 9
530. faltar de 24
531. marchante de arte (m) 9
532. mercado (m) 15
533. marino (m) 20
534. masajear 16
535. médico (m) 13
536. mediatizado(a) 12
537. mediocre 21
538. meditación (f) 16
539. melancólico 11

540. mezclar 18
541. entrometerse en algo 18
542. melodía (f) 11
543. melodramático 10
544. memoria (f) 10
545. limpieza (f) 17
546. llevar la gran vida 21
547. mencionar 23
548. metodología 22
549. oficio (m) 23
550. ¡trabajo, casa y cama! 8
551. poner a prueba 12
552. cuestionar / ser cuestionado 15
553. poner / estar en observación 13
554. meter en prisión 9
555. valorar 23
556. meter la mano en el bolso 6
557. fantasioso (a) (coloquial) 21
558. movilidad (f) 2
559. monje (m) 16
560. medio de transporte (m) 3
561. moda (f) 7
562. modernidad (f) 10
563. modesto 21
564. módulo (m) 22
565. moho (m) 7
566. monótono 8
567. señor y señora todo el mundo 5
568. monstruo (m) 20
569. montañoso / montañosa 17
570. trozo 11
571. motivación (f) 22
572. motivado(a) 20
573. motivar 23
574. espuma (f) 5
575. carnero (m) 7
576. municipal (e) 24
577. pared (f) 1
578. mutación (f) 12
579. misterioso / a 7
580. ¡No se preocupe! 22
581. ¡no se confunda! 22
582. negar 7
583. nivel (m) 22
584. nocturno (m) 24
585. notable (m) 10
586. especialmente 12
587. notoriedad (f) 11
588. nutrición (f) 14
589. obligar 20
590. obtener 12
591. occidental 19
592. ocupar un lugar importante 12
593. obra (f) 9
594. oferta (f) 22
595. oca (f) 7
596. ¡No se puede tener todo! 24
597. ¡Vamos a reventar el record! (coloquial) 23

598. oponer 5
599. receta (f) 13
600. organismo de formación (m) 22
601. herramienta (f) 22
602. ¡Abre los ojos! 19
603. pago (m) 18
604. palacio (m) 7
605. palacio (m) 17
606. palpar 13
607. trayectoria (profesional) (f) 23
608. parking (m) 2
609. más adelante 11
610. letra (de una canción) (f) 11
611. participar en... 16
612. empezar con buen pie 5
613. pasado(a) de moda (estar) 7
614. pasarse de algo 13
615. pasar un buen momento 10
616. apasionado(a) (de) 9
617. pastilla (f) 15
618. paciente (m o f) 15
619. esperar 6
620. pastelería (f) 18
621. párpado (m) 20
622. pobre 21
623. paisaje (m) 1
624. pintar "al estilo de" 9
625. tomar 8
626. "pendular" (m) 2
627. pensión (f) 17
628. periferia (f) 1
629. permitir 2
630. personaje (m) 10
631. personalidad (f) 8
632. personal (m) 16
633. persuadir 23
634. persuasivo / persuasiva 23
635. farmacia (f) 14
636. francés de Argelia 10
637. peatón 3
638. pirata (m) 20
639. pirateo (m) 12
640. flipante (coloquial)11
641. bandeja de comida (f) 5
642. plataforma (f) 22
643. lleno(a) de humor 2
644. neumólogo (m o f) 16
645. asa (f) 17
646. poesía (f) 1
647. empollón (coloquial) (m) 10
648. polémica (f) 12
649. polen (m) 14
650. polución (f) 3
651. porcelana (f) 8
652. posesivo / posesiva 5
653. puesto (m) 23
654. por nada del mundo 11
655. práctico facultativo (m o f) 15

656. tomar conciencia (de algo) 8
657. tener en cuenta 24
658. no tomárselo al pie de la letra 17
659. tener tiempo para 8
660. Armarse de paciencia 6
661. Arriesgarse mucho 11
662. prescribir (medicamentos) 15
663. prevención (f) 15
664. presidir 12
665. prensa (f) 9
666. prestigioso/a 11
667. prestarse a... 23
668. recompensado(a) 11
669. principio (m) 7
670. toma (de medicamentos) (f) 14
671. privilegio (m) 7
672. privilegiado(a) 7
673. pródigo 21
674. producirse 11
675. disfrutar 1
676. programación (f) 11
677. progresar 22
678. proyecto (m) 23
679. prolongarse 24
680. prometer 18
681. provocación (f) 9
682. provocar 9
683. proximidad (f) 3
684. público (m) 5
685. poderoso(a) 12
686. pozo (m) 17
687. puritano(a) 21
688. merienda (f) 5
689. cola (f) 6
690. dejar 3
691. raíz (f) 18
692. tacaño (a) (coloquial) 21
693. refinamiento (m) 7
694. racional 10
695. realizador / realizadora (m o f) 12
696. recientemente 12
697. centrarse 16
698. recitar 23
699. recolecta (f) 17
700. recompensa (f) 9
701. recompensar 12
702. contratante (m) 23
703. recuperar 8
704. redactar 13
705. reducir 12
706. reflexión (f) 10
707. refrán (m) 11
708. refugiarse 10
709. ajustar (un aparato) 16
710. lamento (m) 20
711. reagrupación (f) 22
712. reunir 17
713. rembolsar 21
714. remedio (m) 13
715. entregar 9
716. cuestionarse 23
717. ganar (un premio) 11

Léxico

718. darse cuenta 21
719. prestar un servicio / prestar pequeños servicios 17
720. renunciar a 6
721. renovar 18
722. reenviar 9
723. reparto (m) 19
724. recobrar la respiración 6
725. representar 6
726. reanudación e (f) 8
727. reprochar 12
728. tiburón (m) 20
729. red (f) 24
730. redes sociales (f pl) 12
731. reservar 5
732. reservar sorpresas 5
733. respeto (m) 19
734. respetar 19
735. respectivo / respectiva 7
736. respirar 13
737. sentir 16
738. recurso (m) 19
739. éxito (m) 23
740. revelar 21
741. volver con fuerza 6
742. riqueza (f) 21
743. riquísimo 21
744. telón de acero (m) 1
745. ridículo 5
746. correr el riesgo de 22
747. orilla (f) 1
748. río (m) 1
749. novela policiaca (f) 10
750. romanticismo (m) 4
751. romper 8
752. reducción de jornada laboral (f) 24
753. basto 7
754. callejuela (f) 1
755. ryad (m) 18
756. ritmo cardiaco (m) 14
757. sacrificar 24
758. empleado(a) (m o f) 16
759. sala de espera (f) 14
760. sala (de cine) (f) 12
761. darse cuenta 8
762. adormilarse 20
763. asegurarse de... 23
764. satisfacción (f) 20
765. salvar la vida de alguien 14
766. sabana (f) 17
767. escándalo (m) 9
768. escenario (m) 12
769. escena (f) 11
770. protegido(a) 18
771. seguridad (f) 3
772. darse a conocer 11
773. según... 15
774. apresurarse a... 18
775. comprometerse 20
776. secuestrar 9
777. serenidad (f) 16
778. acostumbrarse a ... 22
779. siesta (f) 16

780. si así se puede decir 20
781. jarabe (m) 15
782. eslogan (m) 2
783. social 17
784. sofá (m) 16
785. rebajas (f. pl.) 6
786. solidario 19
787. solidaridad (f) 17
788. sólido 13
789. símbolo (m) 17
790. solicitar 22
791. solución (f) 2
792. encuestado 6
793. preocupación (m) 21
794. organizarse 24
795. cuidar / cuidarse 13
796. preocuparse por alguien o algo 17
797. soplo (m) 6
798. sospechar 9
799. flexible 24
800. apoyar 11
801. especialista (m o f) 16
802. especificidad (f) 22
803. espectacular 9
804. plaza ajardinada (f) 1
805. estacionamiento 2
806. estereotipo (m) 19
807. stock (m) 6
808. sutil 7
809. suficiente 22
810. superficial 10
811. suplantar 7
812. supositorio (m) 15
813. navegar (por Internet) 12
814. en la red 12
815. a la medida (de) 18
816. sorprendente 1
817. sorprender 16
818. tabú (m) 21
819. procurar... ... 13
820. tag (m) 1
821. talento (m) 11
822. talentoso/a 11
823. tostada (f) 5
824. taxi (m) 4
825. descargar 22
826. testimoniar 17
827. tendencia (f) 17
828. tener 5
829. tener en cuenta... ... 23
830. tensión (arterial) (f) 14
831. tienda (f) 17
832. intentar 5
833. territorio (m) 19
834. test de evaluación (m) 22
835. temática (f) 5
836. termómetro (m) 15
837. sacar la lengua 13
838. titular 7
839. lona (f) 9
840. quedarse atónito 13
841. Tocarle el "gordo" / un salario 21
842. gira (f) 11
843. Completamente 22

844. toser 13
845. sin embargo 23
846. atormentarse 15
847. tradición (f) 10
848. tradicional 18
849. tratamiento (m) 13
850. trayecto (m) 24
851. traumatizante 10
852. trabajo a tiempo completo / a tiempo parcial / a domicilio (m) 24
853. trabajador (m) 24
854. temblar 5
855. tribu (f) 17
856. punto (m) 8
857. tripas (f pl) 7
858. acera (f) 1
859. inquietante 12
860. trastornos del sueño (m pl) 16
861. encontrar(se) 1
862. encontrar su felicidad 8
863. salir ganando 8
864. trufa (f) 7
865. tubo (m) 11
866. matarse trabajando (coloquial) 8
867. No ves que... 15
868. tutor (m) 22
869. un acto de patriotismo 9
870. un intercambio de buenas prácticas 22
871. una película en cartel 12
872. únicamente 23
873. un movimiento feminista 24
874. un recorrido complejo
875. un proceso de concertación
876. un puro momento de felicidad (es) 16
877. una explosión de... 15
878. un momento mágico (es)... 16
879. una capacidad de adaptación 23
880. urbano(a) 3
881. urgencia (f) 14
882. usuario (m) 24
883. valor (m) 21
884. alabar 7
885. Vete más bien a buscarme (+ algo) 15
886. vasto 24
887. estrella (f) 12
888. transmitir (clichés) 4
889. alabar sus cualidades 2
890. vertical 2
891. vaciar 6
892. viejo como el mundo 6
893. aldeano (a) (m o f) 19
894. Ciudad de la luz (la) 4
895. virtual 17
896. vidriero (m) 9

897. escaparate (m) 1
898. vocación (f) 8
899. aquí tenemos otro bonito cuento... 10
900. ver el día 4
901. incluso 11
902. robo (m) 9
903. No dirá que... 13
904. ¡Se da cuenta ¡ 13

1. 予約購読者、定期券所有者 (男性) 5
2. 手ごろな 6
3. 届く、達する 18
4. 絶対に 14
5. 達する、至る、同意する… 22
6. 粘り強い人、ファイトのある人 11
7. もてなし、受け入れ (男性) 19
8. 非難する、とがめる 9
9. **クレジットで買う** 21
10. 購入する 6
11. 購入 (男性) 22
12. 文化活動 (女性) 3
13. 適応する、慣れる 24
14. 慣れた 22
15. …を自由にできる 16
16. 行政の 18
17. 感嘆する、見とれる 1
18. 事柄、用件、事件 (女性) 9
19. 立向かう、直面する 20
20. 都市圏、集落 (女性) 3
21. アラカルト 18
22. 最悪の場合には、やむを得なければ 13
23. …の外 1
24. 子羊 (男性) 7
25. 追加する 14
26. アルバム、絵本、写真集 (男性) 11
27. **情報を集める** 17
28. アレルギー (女性) 14
29. **(より) 遠くまで行く** 5
30. 結び合わせる、結びつける 17
31. **便利さと気持ちの良さを結びつける** 18
32. 二者択一的な、交互の 19
33. 交替する、交互にやってくる 22
34. 愛好家、アマチュア (男性) 5
35. 改良する、向上させる 16
36. 整備する、改修する、手直しする 24
37. 罰金、罰 (女性) 2
38. (場所に) 根を下ろした **固定した** 11
39. ひどく心配させる/する、苦しめる/苦しむ 14
40. 生気、活気、動画 (女性) 18
41. 癌予防の、制癌性の (男性) 15
42. 不安、心配、懸念 (女性) 16
43. 出現する、(いきなり) 現れる、(人) に (…のように) 見える 1
44. (の) 所有である、(に) 属する 13
45. 拍手する 11
46. 学習者 22
47. 見習い、研修 (男性) 22

48. 近づくこと、接近、アプローチ (女性) 23
49. 適性、素質、能力 (女性) 8
50. だまし取る、詐欺をする 9
51. 逮捕 (女性) 9
52. 動脈、幹線道路 (女性) 7
53. 職人 (男性) 8
54. 芸術家、アーチスト (男性または女性) 11
55. 芸術的 11
56. 上昇、登山、向上 (女性) 11
57. アスピリン (女性) 15
58. 同化する、消化する、吸収する 23
59. 会、連合、集まり (女性) 8
60. 被保険者 2
61. 人間的な 3
62. いつでも 21
63. を通り抜けて、通して 4
64. 注意深い/配慮の行き届いた 15
65. 引き付ける、誘惑する 12
66. 魅力的な、人と引き付ける 6
67. 魅力、愛着 (男性) 6
68. 魅力のある、魅惑的な 23
69. (人) に与える、割り当てる、に帰す 12
70. 思わぬ授かり物、幸運 (女性) 2
71. 大胆な、ずうずうしい 9
72. (TV、ラジオの) 聴取者、(マスコミの) 読者 (女性) 5
73. 聴衆、(ラジオなどの) 聴取者 (男性) / (女性) 4
74. ところで、結局 21
75. 代わりに 15
76. あまりにも (何々) なので…する、…するほど (何々) 9
77. 聴診する 13
78. 本物の、真正の 18
79. 自動的 3
80. 自動車運転者、ドライバー (男性または女性) 2
81. 自立、自律、自治 (権) (女性) 23
82. …の目に 9
83. 何よりもまず、とりわけ 10
84. 盲目の、盲目的な 11
85. 思慮深い、抜け目のない 6
86. 速く、速度を出して 4
87. 弁護士 (男性) 7
88. よだれが出る 7
89. …のような気がする 16
90. 顔色が悪い 17
91. 冒険を欲している 17
92. 鯨 (女性) 20
93. 散歩 (女性) 11
94. (映画の) 予告編 (女性) 12
95. 郊外 (女性) 1

96. 座席、腰掛 (女性) 20
97. 命名された、あだ名をつけられた 10
98. 建物群 (女性) 1
99. 建物、建築物 (男性) 1
100. 美しさ、美 (女性) 1
101. 必要、要求 (男性) 10
102. 図書館 (女性) 10
103. 利益、幸福、善、財産 (男性) 3
104. 暖かい 5
105. 満足感、幸福感、(物質的) 充足 (男性) 16
106. 恩恵、効果 (男性) 16
107. 高給取り 24
108. ビスケット (男性) 13
109. ジャンパー (男性) 17
110. **よろしい、結構、よし！** 15
111. 満員の、ぎっしり詰まった 4
112. 安い 15
113. 良いアイデア、良いプラン 6
114. 大通り (男性) 1
115. 覆す、めちゃめちゃにする 12
116. 本 (話言葉で) (男性) 8
117. ひっくり返す/押すこと、大騒ぎ、雑踏 (女性) 4
118. ひっくり返す、押す、覆す 6
119. 店、売店、ブティック (女性) 4
120. 捨て値で売払う、見捨てる 6
121. 雌羊 (女性) 7
122. 短い、簡潔な 21
123. 歯を磨く 14
124. 予算、家計 (男性) 18
125. ビルディング (男性) 4
126. 弟、妹、末子、年下の人、後輩 (男性) 8
127. それで良し！ 13
128. キャンプ、キャンプ場/野営地 (男性) 19
129. 宣伝キャンペーン (女性) 2
130. ソファー、カナッペ (男性) 17
131. それが私たちに扉を開いてくれた 11
132. (学校などの) 食堂 (女性) 5
133. 小郡、(スイスの) 州 (男性) 13
134. 職業、キャリア (女性) 20
135. そうかもしれない。 13
136. 何か思い当たる？ 14
137. 祝う、式典を行う 5
138. ショッピングセンター (男性) 6
139. やっと2年後に…9
140. あなたの番です！ 23
141. 良い兆候です ≠ 悪い兆候です 5
142. それは実現不可能です 2

143. それは…が原因です。 12
144. なんて贅沢！ 5
145. それはクレージーだ！ 17
146. それは素晴らしい 5
147. それは恥ずかしいことだ 19
148. 言うのは簡単だけれど、実行するのは難しい 19
149. それはあなたの都合次第だ。 22
150. それはどうやっても不可能だ！2
151. それは何ものにも代えがたい贈り物だ。 10
152. それは宝石のように素晴らしい作品だ 11
153. らくだ (男性) 18
154. 狩り、追跡 (女性) 6
155. チャットする 22
156. 社長 24
157. 傑作 (男性) 9
158. ショックを与える、(の) 感情を害する 9
159. 映画監督 (男性または女性) 12
160. ランキング (男性) 5
161. 型にはまった表現、クリシェ (男性) 4
162. 顧客 (男性または女性) 23
163. 気候、風土、雰囲気 (女性) 18
164. 規範、法規、コード (女性) 7
165. 雑踏、混雑 (女性) 6
166. 協力、共同、コラボレーション (女性) 11
167. 収集家 (女性) 9
168. ミュージカル (女性) 4
169. 滑稽な、おかしな、喜劇の 12
170. 商売、商店、通商 (女性) 1
171. 通商の、商業上の 12
172. 共同体、コミュニティ (女性) 8
173. 市町村、地方自治体 (女性) 13
174. 比較する 4
175. 能力、資格、権限 (女性) 23
176. 競争 (女性) 12
177. 共犯者、加担者 (女性または女性) 9
178. 両立、適合性、互換性 (女性) 8
179. (銀行の) 口座 (女性) 21
180. 集中、濃縮 (女性) 16
181. 和解させる、一致させる 24
182. 競争、競争相手 (女性) 7
183. 刑を宣告する、非難する、とがめる 9
184. 作る、製造する 7
185. 委託する、委ねる、預ける 12
186. 対決させる、照合する 6

187. 休暇、休み (男性 複数) 24
188. 知識、認識、知り合い (女性) 22
189. 結合する、接続する 22
190. 捧げる、専念する 6
191. 意識、自覚、良心 (女性) 8
192. 忠告、アドバイス (女性) 22
193. 勧められた、助言された 2
194. 勧める、助言する 10
195. 考慮する、検討する 10
196. から成る、に存する 17
197. 消費者(女性) / 消費者 (女性) 6
198. 消費する、使用する 15
199. 相談、診断、討議 (女性) 13
200. 相談する、意見を求める、調べる 13
201. 短い物語、コント (女性) 10
202. 現代の、同時代の 10
203. 中身、内容 (女性) 5
204. 疑わしい、異論の余地のある 7
205. 異議を唱える、抗議する、疑う 7
206. 強制、拘束、気兼ね、遠慮 (女性) 23
207. 代償、反対意見 (女性) 17
208. に協力する、貢献する 9
209. 点検する、制御する14
210. 説得する、納得させる 23
211. 会話 (女性) 4
212. 打ち解けた雰囲気、暖かい雰囲気 (女性) 8
213. 肉体、物体、死体 (女性) 16
214. 訂正する、直す、正す 22
215. 羽ぶとん (女性) 5
216. 体の節々の痛み (女性) 13
217. メール (女性) 22
218. 費用 (女性) 18
219. スイスアーミーナイフ (女性) 17
220. 創造的な、クリエイティヴな 23
221. 託児所 (女性) 24
222. 絆を結ぶ 10
223. 批判、批評 (女性) 10
224. 信仰、信念、信条 (女性) 20
225. 収穫、採集 (女性) 17
226. 教養をつける 10
227. 文化 (女性) 4
228. 兼任する、かけもちする 5
229. 好奇心 (女性) 17
230. 踊る、ゆらめく、ダンスの 11
231. の範囲内で、の一環として… 9
232. 蒸し煮 (女性) 7
233. それ以上に、いっそう 20

234. 陸揚げする、上陸させる、下車させる 20
235. 困難を切り抜ける、うまくやりこなす 24
236. ずらす、移動させる 24
237. 賞を授与する 12
238. コンプレックスのない、先入観を持たない 21
239. 失望した、がっかりした 18
240. …に捧げる、献呈する 9
241. から守る 15
242. 挑戦 (女性) 3
243. 行進する、進む、続く 12
244. 期間、期限、猶予 (女性) 23
245. 始動する、スタートする 6
246. 見つける、探し出す、鳥を巣から取出す 6
247. 告発する、暴く 21
248. (彼ら/彼女ら) のうち、の中の 2
249. (お金を) 消費する 21
250. 移動、出張、旅行 (男性) 3
251. 移動する、出張する、旅行する 4
252. ほどける、広がる、次々に起こる 11
253. 砂漠、索漠とした所 (男性) 17
254. 今後は、これからは 22
255. ちょっとしたもの 5
256. ゆるむ、緊張が緩和する 1
257. そらせる、向きを変える 5
258. 廃位する、信用を失わせる、(に) とって代わる 2
259. 借金、負債 (女性) 21
260. 発展、発達、進展 (男性) 19
261. 発達させる、進展させる 23
262. 糖尿病 (男性) 14
263. 診断、判断 (男性) 16
264. 七面鳥 (女性) 7
265. 卒業証書、免状 (男性) 22
266. 指揮する、管理する、経営する 23
267. ディスコ、レコード・ライブラリー (女性) 18
268. 自由に使用できる、拘束されていない18
269. 装置、仕掛け、配置、手筈 (男性) 22
270. 親善試合をする 4
271. 気晴らしをする、気を紛らす、放心する 10
272. 多様性、相違 (女性) 3
273. 愉快にする、気を晴らす 10
274. 住宅、住居 (男性) 24
275. 支配する、制御する、そびえる 3

276. …に面している、通じる 1
277. 背中、裏面 (男性) 13
278. 柔らかさ、穏やかさ、甘さ (女性) 5
279. 才能のある、天分に恵まれた 20
280. 演劇の、劇的な、深刻な 12
281. 一夜にして 13
282. のそばに、方へ、の点では 15
283. 二重唱、デュオ (男性) 11
284. 永続性のある、持続可能な 17
285. 金ぴかに輝くもの 12
286. 力強い、ダイナミックな 6
287. 梯子、スケール、等級 (女性) 13
288. 照らされた、晴れやかな、明らかにされた 1
289. (趣味・意見などが) 幅広い、折衷主義の 11
290. 生態学、エコロジー (女性) 3
291. 生態学的、自然環境保護の 17
292. スクリーン、ついたて、幕 (男性) 12
293. 出版社、発行者、エディター (男性) 4
294. 消す、色あせさせる 16
295. 有効な、能率的な、有能な 22
296. 効果、能率、有能 (女性) 14
297. 等しさ、平等 (女性) 21
298. 生徒、弟子 15
299. 上がる、昇る、建つ、高まる 1
300. 賞賛の/ほめている 10
301. 遠ざける、追い払う 16
302. 穂の形の、斜めに 2
303. 高さで、高さの 1
304. (から) 遠ざかる、離れる、別れる 17
305. 邪魔な、厄介な、困った 21
306. 象徴的な 23
307. 感動、興奮、心の動揺 (女性) 10
308. 使用人、従業員、会社員 (男性 または 女性) 24
309. 6番目/良い位置にいる 5
310. 増加している 6
311. (何かに/誰かに) うんざりする、飽き飽きする 5
312. 緊急の場合 14
313. について 12
314. の外に、を除いて 24
315. 実際は、事実は 10
316. コミットした、参加した、雇われた 11
317. に関して 12
318. 在庫の、ストックにある 6
319. 勇気づける、元気づける、奨励する 22

320. エネルギー (女性) 16
321. いら立ち (男性) 16
322. 記録する、録音する 11
323. 熱中する、感激する、夢中になる 5
324. 取り巻かれる、くるむ 5
325. 助け合う 3
326. 心を引く、陽気な 11
327. トレーニングする、訓練する 23
328. 12時〜2時まで（お昼休み）に 24
329. 請負業者、企業家 (男性) 18
330. 維持する、保つ、手入れをする 8
331. うらやむ、ねたむ 7
332. 環境、周囲 (男性) 7
333. (表情などが) 晴れやかな、(能力などが) 開花した、花が開いた 8
334. (花が) 開く、(顔が) 晴れやかになる、余すところなく発揮される 24
335. 能力を開花させる、充実した 24
336. 開花、晴れ晴れした状態、(能力・魅力の) 開花、成熟 (男性) 8
337. 貯蓄、貯金、節約 (女性) 21
338. 釣り合わせる、埋め合わせる 24
339. 装備、設備、施設 (男性) 24
340. 公正な、公平な 17
341. 緑地（帯）(男性) 3
342. 種類、種、現金 (女性) 20
343. 希望、期待、希望の的 (男性) 6
344. 段階、期、1行程 (女性) 19
345. 状態、国家 (男性) 13
346. 福祉国家 (男性) 21
347. 逆に 23
348. にはまっている、に中 (くだけた表現) 15
349. 果たす能力がある、ふさわしい 10
350. の発端である、原因である 10
351. に引き付けられている、魅了されている 4
352. (何を) よく知っている、詳しい 7
353. 有能な（くだけた表現) 11
354. 確信を抱いた、断固たる 10
355. (賞を) 受賞する 11
356. 何時間も電話している 8
357. を確信している 10
358. 安心した 14
359. 脱走する、逃げ出す 10
360. 避ける、しないようにする 2
361. 変化する、進化する 24

語彙集

362. 思い出す、想起する、思い出させる、言及する 23
363. 要求、要求の多さ、気難しさ (女性) 23
364. 自分の考えを述べる、感情を表す 2
365. 国外追放、亡命 (女性) 18
366. 開発する、開拓する、うまく利用する、搾取する 9
367. 探検家 (男性 または 女性) 20
368. 急行の、即席の、 23
369. 請求書、インボイス (女性) 18
370. 良い印象を与える 8
371. 気取る、もったいぶる 7
372. 楽しむ 10
373. 損得を計算する 21
374. ファン (男性 または 女性) 11
375. 空想上の、幻想的な、不可思議な、素晴らしい 10
376. お互いに注意を払う 3
377. 魅惑する、うっとりさせる 4
378. 宿命的kな、致命的な 7
379. 疲労、疲れ (女性) 13
380. 偽造（贋造）者 (男性 または 女性) 9
381. （夢のように）美しい、素晴らしい 8
382. 農場、農地、農園 (女性) 13
383. フェスティバル (男性) 11
384. 猪突猛進する 6
385. 散歩する、ぶらつく 6
386. 河、多量の流れ、（河のように）流れ続けるもの (男性) 1
387. 仕事、職務、機能、役割 (女性) 10
388. 創立者、設立者 (男性 または 女性) 16
389. ⊠レーナー、職業訓練官 (男性 または 女性) 22
390. アラカルトの/カスタマイズされた/オンラインの/遠距離での研修、訓練 (女性) 22
391. 形、様相、形式 (女性) 14
392. 形成される、形づくる、養成される、教養を積む 22
393. 書式、公式、申込書、決まり文句 (女性) 17
394. 財産、運命 (女性) 21
395. 群集、大衆 (女性) 4
396. 断片、破片、一部分 (男性) 5
397. 涼しい、すがすがしい、若々しい、新鮮な 7
398. 口ずさむ、ハミングで歌う 20
399. （場所に）よく通うこと、交際、付き合い (女性) 12
400. 金、ぜに（くだけた表現） (男性) 21

401. クリームチーズ (男性) 5
402. 浪費、無駄遣い、混乱、乱雑 (男性) 19
403. の共感を勝ち取る 11
404. 大金をかせぐ、得る 21
405. 利益、儲け、勝利 (男性) 21
406. 駐車する 2
407. 困惑した、ばつの悪い、気詰まりな 21
408. 一般医 (男性) 15
409. ショウガ (男性) 7
410. バカンス用の民宿・貸し別荘 (男性) 17
411. 名誉、栄光、功績 (女性) 12
412. のど、のどもと (女性) 18
413. 一口、一飲み (女性) 5
414. 淵、深い穴、深淵 (男性) 20
415. 落書き (男性) 1
416. グラフィックアーチスト (男性) 4
417. 脂肪の多い、太った、太い 13
418. 満足感を与える 23
419. 摩天楼、超高層ビル (男性) 3
420. 彫版、版画 (女性) 8
421. ストライキ (女性) 17
422. インフルエンザ (女性) 14
423. 洞窟、洞穴 (女性) 7
424. 治る、回復する、治す、癒す 13
425. 悪習、悪い癖 (女性) 15
426. 宿泊、宿所 (男性) 19
427. 英雄、勇者、主人公、ヒーロー (男性 または 女性) 9
428. ホメオパシー (女性) 14
429. 時刻（表）、時間割 (男性) 14
430. 水平の、（横に）まっすぐの 2
431. 珍しい 9
432. 病院の（に関する）、客好きの、人を歓待する 15
433. 敵意を持った、反対の 20
434. 波のうねり、大波 (女性) 20
435. 人道主義的 19
436. 辱められた、侮辱された 10
437. 雑種の、ハイブリッドの 22
438. 先入観 (女性) 14
439. 愚かな、ばかな 17
440. たくさんかかる ≠ あまりかからない 5
441. なるほど…だ 12
442. …は不可欠だった 14
443. …と言わなくてはならない 11
444. 挿絵（写真）入りの、グラビア入りの 4
445. …が不足している、がない 16

446. あなたはまだ…しなければならない 16
447. …が問題だ、問題は…である 4
448. …するだけで十分である 22
449. 笑い飛ばした方がいいよ！2
450. 真似る、模倣する、手本にする 9
451. 実体を欠く、無形の、非物質的な 7
452. 不滅にする、不朽にする 9
453. 効果、衝突、インパクト (男性) 17
454. 皇帝の、皇帝然とした、堂々たる 17
455. かかわり合い、関与 (女性) 19
456. 命じる、課す、強制する、課税する 22
457. 予期せぬ、思いがけない 17
458. (人を) …する気にさせる、（人を）励まして (何を) させる 10
459. 異論のない、ゆるぎない 7
460. 憤慨 (女性) 9
461. 映画産業 (女性) 12
462. 産業（工業）の、工業生産の (男性 または 女性) 15
463. 不平等、不均衡 (女性) 21
464. 評価を絶した、貴重きわまりない 9
465. 影響を及ぼす、左右する 11
466. 問い合わせる、情報を得る 10
467. 初歩を教える、手ほどきをする 7
468. 革新的な 23
469. 忘れられない、忘れ難い 18
470. 異常な、突飛な、異様な魅力のある 17
471. 息を吸い込む、霊感を与える、（考えなどを）抱かせる 1
472. 身を落ち着ける、住み着く 3
473. 駐車禁止 (女性) 2
474. 対話者、交渉相手 (男性 または 女性) 23
475. 果てしない、限りのない 24
476. ネットサーファー (男性 または 女性) 5
477. という題の (男性) 5
478. （小説などの）筋、陰謀 (女性) 10
479. 見つからない 9
480. 発明の才のある、創意のある 7
481. 逆にする、入れ換える 18
482. 役割を交換する 18
483. 巡回の 17

484. 酔った、夢中の 7
485. 私はむしろ…したい 13
486. 私はあなたを助けるためにそれをした。 15
487. それができるかどうか自信がない。 22
488. ジョギングする人 (男性 または 女性) 4
489. しゃれを言う、言葉遊びをする 2
490. 裁く、判断する、考える 9
491. 審査員 (男性) 12
492. 正当化する、（…の）正しさを証明する 9
493. 開会式 12
494. デジタルリテラシー 12
495. 「ビッグアップル」（ニューヨークの愛称） 4
496. 政教分離、非宗教性 (女性) 8
497. プルーストのマドレーヌ（香りや味覚によって幼少期など過去の記憶を思い起こさせるもののこと） 5
498. （…の）大部分、大多数 2
499. 階段を上ること（映画祭会場で大階段を上ること） 12
500. 街灯 (男性) 3
501. 広い、幅広い、大きい 3
502. 受賞者 (男性 または 女性) 12
503. 街角のカフェ 17
504. 読書、読むこと、朗読 (女性) 10
505. 全くの謎のまま残る 10
506. …という原則 12
507. 金銭とのかかわり方 21
508. チームワーク精神 23
509. 第7芸術（映画） 12
510. マスツーリズム 18
511. 大切なのは（物事を）始めることだ。 22
512. 平凡な日常の繰返し 17
513. 緊急時に取るべき行動 14
514. 自由にする、解放する、放出する 9
515. 絆、つながり、関係 (男性) 10
516. 社会的なつながり (男性複数) 8
517. 友情で結ばれる 20
518. 制限された、限定された 6
519. すぐ使える、現金の (現金 / 現金で支払う) (男性) 21
520. 文学、文芸 (女性) 1
521. 地方の、地元の、現地の 19
522. 位置を特定する 14
523. 論理、首尾一貫性 (女性) 19
524. 規則、法則、法律 (女性) 7
525. 長編映画 (男性) 12
526. の時に、の際に 23
527. 贅沢、豪華 (男性) 4

528. 心血管疾患 (女性) 14
529. 不正直な、不誠実な 9
530. を欠く、が不足している 24
531. 美術商 (男性) 9
532. 市場、市、取引 (男性) 15
533. 船乗り、海員、水兵 (男性) 20
534. マッサージする 16
535. 医者、医師 (男性) 13
536. メディア化した 12
537. 平凡な、凡庸な、並以下の 21
538. 瞑想 (女性) 16
539. 憂鬱な、哀愁を帯びた 11
540. 混ぜる、混合する 18
541. (何かに) 介入する、口を出す 18
542. メロディー、旋律 (女性) 11
543. メロドラマ風の、感傷的で大げさな 10
544. 記憶、記憶力、思い出 (女性) 10
545. 家事、夫婦、世帯 (男性) 17
546. 気楽に遊び暮らす 21
547. に言及する、を記載する 23
548. 方法論の 22
549. 職業、仕事、職務 (男性) 23
550. メトロ、仕事、おねんね！(都会のサラリーマンの単調な生活を示す表現) 8
551. 試す、試験する 12
552. 非難する、問題にする / 非難される 15
553. を観察する / じっと観察している 13
554. 投獄する 9
555. 強調する、引き立たせる、利用する、活用する 23
556. 支払いをする、金を与える 6
557. 信じられないほど素晴らしい、夢のような (くだけた表現) 21
558. 移動、動くこと、可動性 (女性) 2
559. 修道士、僧 (男性) 16
560. 交通機関、輸送手段 (男性) 3
561. 流行、ファッション、モード (女性) 7
562. 現代性、近代性 (女性) 10
563. 質素な、地味な、謙虚な、控えめな 21
564. モジュール (男性) 22
565. かび、かびの生えた部分 (女性) 7
566. 単調な 8
567. ごく普通の人 5
568. モンスター (男性) 20
569. 山の多い、山がちの 17

570. 一切れ、一片、（音楽の）作品、曲 11
571. モチベーション (女性) 22
572. やる気のある 20
573. やる気を引き出す 23
574. 泡、苔、ムース (女性) 5
575. 羊 (男性) 7
576. 自治体の 24
577. 壁 (壁) 1
578. 変化、突然変異 (女性) 12
579. 不思議な、神秘的な 7
580. 心配しないでください！22
581. 間違えないで下さい！22
582. 否定する 7
583. レベル、高さ、平面 (男性) 22
584. 夜間営業、夜間開館 (女性) 24
585. 名士、有力者 (男性) 10
586. 特に 12
587. 評判 (女性) 11
588. 栄養 (女性) 14
589. 義務を負わせる 20
590. 得る 12
591. 西の、西洋の 19
592. 主要な（重要な）地位を占める 12
593. 作品、成果、仕事 (女性) 9
594. 提案、供給 (女性) 22
595. ガチョウ (女性) 7
596. 全てを手に入れるのは不可能です！24
597. 記録を大きく更新しよう！(交互表現) 23
598. を対立させる、反対する 5
599. 処方箋 (女性) 13
600. 研修機関 (男性) 22
601. 道具 (男性) 22
602. 目をさませ！19
603. 支払い (男性) 18
604. 宮殿 (男性) 7
605. 宮殿 (男性) 17
606. に触ってみる、触診する 13
607. (職業の) 経歴 (男性) 23
608. 駐車場 (男性) 2
609. 後に、後で 11
610. (歌の) 歌詞 (女性、複数) 11
611. …に参加する 16
612. 良い条件のもとで始める 5
613. 流行遅れな 7
614. …なしで済ます、は必要ない 13
615. 良い時間を過ごす 10
616. …に夢中になった 9
617. トローチ、キャンディ (女性) 15
618. 患者 (男性 または 女性) 15

619. 待つ 6
620. お菓子、ケーキ屋 (女性) 18
621. まぶた (女性) 20
622. 貧しい 21
623. 風景 (男性) 1
624. "〜風に"描く 9
625. つるす、掛ける 8
626. "振り子"（男性）2
627. 年金、下宿、寮 (女性) 17
628. 周囲、外面、周辺部 (女性) 1
629. 許可する 2
630. 人物 (男性) 10
631. 個性、パーソナリティ (女性) 1
632. 従業員、スタッフ (男性) 6
633. 説得する 7
634. 説得力のある 23
635. 薬局 (女性) 14
636. アルジェリア生まれのフランス人 10
637. 歩行者 3
638. 海賊 (男性) 20
639. 海賊行為、違法なダビング (男性) 12
640. うっとりさせる (くだけた表現) 11
641. 食事トレー (男性) 5
642. プラットホーム (女性) 22
643. ユーモアにあふれた 2
644. 呼吸器科医 (男性 または 女性) 16
645. 取っ手、一握り (女性) 17
646. 詩 (女性) 1
647. 推理小説 (くだけた表現) (男性) 10
648. 論争 (女性) 12
649. 花粉 (男性) 14
650. 汚染 (女性) 3
651. 磁器 (女性) 8
652. 独占欲の強い 5
653. 郵便局、地位 (男性) 23
654. 決して 11
655. 医師/開業医 (男性 または 女性) 15
656. …に気づく 8
657. …を考える、考慮に入れる 24
658. …を裏の意味に取る 17
659. 時間をかけて…する 8
660. 黙って苦痛に耐える 6
661. 大きなリスクを背負う (くだけた表現) 11
662. (薬を) 処方する 15
663. 防止、偏見 (女性) 15
664. 司会する、主宰する 12
665. プレス (女性) 9
666. 最高級の、威信のある 11
667. …に適する、適合する、同意する 23
668. 賞(奨励金)を受けた 11
669. 原則、主義 (男性) 7
670. (薬の) 服用 (女性) 14
671. 特権 (男性) 7

672. 特権を受けた、恵まれた 7
673. 浪費家の、惜しまない 21
674. 生産する、生み出す、起こる 11
675. 利用する 1
676. プログラミング (女性) 11
677. 進歩する、進展する 22
678. プロジェクト (男性) 23
679. 延長する 24
680. 約束する 18
681. 挑発、扇動 (女性) 9
682. 挑発する、そそのかす 9
683. 近いこと、近接 (女性) 3
684. 大衆、観客 (男性) 5
685. 強大な、強力な 12
686. 井戸 (男性) 17
687. ピューリタンの 21
688. (午後四時ごろに食べる)おやつ (くだけた表現) (男性) 5
689. 尻尾 (女性) 6
690. 去る、やめる 3
691. 根 (女性) 18
692. けちな (くだけた表現) 21
693. 洗練 (男性) 7
694. 合理的な、理性的な 10
695. 映画監督 12
696. 最近 12
697. 元の位置（センター）に戻す 16
698. 暗唱する 23
699. 収穫 (女性) 17
700. 報酬 (女性) 9
701. 報酬を与える、報いる 12
702. リクルーター (男性) 23
703. 取り戻す、復帰させる 8
704. 書く、作成する 13
705. 減らす、値下げする 12
706. 熟考、意見 (女性) 10
707. リフレイン、同じ文句の繰り返し (男性) 11
708. 避難する、亡命する 10
709. (器械)を調整する、調節する 16
710. 後悔 (男性) 20
711. 再び集める事、再編成 (男性) 22
712. 合流する、戻る、通じる 17
713. 返済する 21
714. 薬、救済策 (男性) 13
715. 戻す 9
716. 再び問題にする、危うくする 23
717. (賞、賞金)を獲得する 11
718. 気づく、解る 21
719. 役立つ、貢献する 17
720. …をあきらめる 6
721. 改修する 18
722. 返送する、解雇する、延期する 9
723. 配分、分布 (女性) 19
724. 呼吸を整える、一息つく 6

725. 表す、代表する 6

726. 回復、取り戻す事（女性）8

727. 非難する 12

728. サメ（男性）20

729. ネットワーク（男性）24

730. ソーシャルネットワーク（男性 複数）12

731. 予約する、取っておく、保留する 5

732. 驚きを用意しておく 5

733. 尊敬、尊重（男性）19

734. 尊敬する、尊重する 19

735. それぞれの 7

736. 呼吸する、吸う 13

737. 感じる 16

738. 手段、資源、資産（女性）19

739. 成功（女性）23

740. 明らかにする 21

741. 力強いカムバック 6

742. 富（女性）21

743. 大金持ちの 21

744. シャッター（男性）1

745. ばかげた 5

746. …する恐れがある、するかもしれない 22

747. 岸、河岸、ほとり 1

748. 川（女性）1

749. 推理小説（男性）10

750. ロマン主義、ロマンチシズム（男性）4

751. 中断する、解消する 8

752. RTT（労働時間短縮）24

753. 荒っぽい、つらい、ごわごわした 7

754. 小道（女性）1

755. リヤド 18

756. 心臓の鼓動のリズム（男性）14

757. 犠牲にする、提供する 24

758. 従業員（男性 または 女性）16

759. 待合室（女性）14

760. (映画の)上映室 12

761. 気付く 8

762. 居眠りする 20

763. …を確認する、を確保する 23

764. 満足（女性）20

765. (人)の命を救う 14

766. サバンナ（女性）17

767. スキャンダル（男性）9

768. シナリオ（シナリオ）12

769. 舞台、舞台の場面、演劇 11

770. 安全な 18

771. 安全、安心（女性）3

772. 有名になる 11

773. …にしたがって、によると 15

774. 急いで…する、（人に）熱心に尽くす 18

775. 約束する、参加する 20

776. 監禁する 9

777. 静けさ（女性）16

778. …に慣れる 22

779. 昼寝（女性）16

780. 言ってよければ、言うなれば 20

781. シロップ（男性）15

782. スローガン（男性）2

783. 社会の 17

784. ソファ（男性）16

785. バーゲンセール（男性）6

786. 連帯した 19

787. 連帯（女性）17

788. 丈夫な、固体の 13

789. 象徴（象徴）17

790. 懇願する、願い出る 22

791. 解決、溶液（女性）2

792. 調査対象者 6

793. 心配、懸念（男性）21

794. 準備計画する 24

795. 治療する、癒す 13

796. …を気にかける、心配する 17

797. 呼吸（男性）6

798. 疑う、気づく 9

799. 柔軟性のある 24

800. 支える、支持する 11

801. 専門家（男性 または 女性）16

802. 特性、特異性（女性）22

803. 壮大な、目を見張るような 9

804. 広場（男性）1

805. 駐車場、駐車（男性）2

806. ステレオタイプ、紋切り型（男性）19

807. ストック（男性）6

808. 繊細な、巧みな 7

809. 十分な 22

810. 表面的な、表面の 10

811. 押しのける、取って代わる 7

812. 坐剤（男性）15

813. （インターネット上で）サーフィンをする 12

814. スクリーンで 12

815. オーダーメードの 18

816. 意外な 1

817. 驚く 16

818. タブー 21

819. …しようと努める 13

820. 落書き（男性）1

821. 才能（男性）11

822. 才能がある 11

823. タルティーヌ（女性）5

824. タクシー（男性）4

825. ダウンロードする 22

826. 証言する、表す 17

827. トレンド（女性）17

828. 持っている、保つ、握る 5

829. …を考慮に入れる、尊重する 23

830. 血圧（女性）14

831. テント（女性）17

832. 試す 5

833. 領土（男性）19

834. アセスメントテスト 22

835. テーマ体系 5

836. 温度計（男性）15

837. 舌を出す 13

838. 引く 7

839. キャンバス、スクリーン（女性）9

840. 仰向けに倒れる、仰天する 13

841. 大儲けをする 21

842. ツアー（女性）11

843. 完全に 22

844. 咳をする 13

845. しかし 23

846. 心配する 15

847. 伝統（女性）10

848. 伝統的な 18

849. 治療（男性）13

850. 行程、道のり（男性）24

851. 外傷を与える、心理的外傷を与える 10

852. フルタイムの仕事/パートタイムの仕事/家での仕事（男性）24

853. 労働者（男性）24

854. 震える 5

855. 部族（女性）17

856. 編み物、セーター（男性）8

857. 内臓（女性 複数）7

858. 歩道（男性）1

859. 困惑させる、気がかりな 12

860. 睡眠障害（男性 複数）16

861. （ある場所に）いる、（ある状態に）ある 1

862. 幸福を見つける 8

863. 儲かる、利益を得る 8

864. トリュフ（女性）7

865. チューブ（男性）11

866. 苦労して仕事をやり遂げる（くだけた表現）

867. …だと解らないのか 15

868. 保護者（男性）22

869. 愛国的行為 9

870. 豊富な経験の交換 22

871. 公開中の映画 12

872. ただ、単に 23

873. フェミニスト運動 24

874. 非常に困難な道のり 6

875. 協議プロセス

876. 純粋な幸福の瞬間 16

877. …の爆発 15

878. 魔法のような瞬間 16

879. 適応力 23

880. 都会の 3

881. 緊急、救急 14

882. ユーザー 24

883. 価値 21

884. 誉めそやす 7

885. それより(…)を取りにいってくれ 15

886. 広大な 24

887. スター（女性）12

888. (宣伝文句)を伝える 4

889. 特質を売り込む 2

890. 縦の 2

891. 空にする 6

892. 昔からある、非常に古い 6

893. 村人（男性 または 女性）19

894. 光の街（パリの愛称）4

895. 仮想の 17

896. ガラス屋、ガラス職人（男性）9

897. ショーウィンドー（女性）1

898. 使命、天職、資質（女性）8

899. ここでもう一つの素敵な話です…10

900. 日の目を見る、出版される 4

901. さらに、それどころか 11

902. 飛行、フライト 9

903. …とは仰らないでしょう。13

904. (驚きや怒りを表す)すごいでしょう！ひどいでしょう！13

N° de projet : 10184572

Imprimé en Italie par Grafica Veneta en juillet 2013 • Dépôt légal : septembre 2013